40대 아저씨, 가족과 함께 수영에 빠지다

40대 아저씨, 가족과 함께 수영에 빠지다

지은이 김경우, 김서진

발 행 2024년 5월 30일
펴낸이 한건희
펴낸곳 주식회사 부크크
출판사등록 2014.07.15.(제2014-16호)
주 소 서울특별시 금천구 가산디지털1로 119 SK트윈타워 A동 305호
전 화 1670-8316
이메일 info@bookk.co.kr

ISBN 979-11-410-8481-3

www.bookk.co.kr

40대 아저씨, 가족과 함께 수영에 빠지다

김경우, 김서진 지음

BOOKK✎

차례

「평」 평범한 수영을 넘어서자

반평생 살았다는 40대 중반에 이르러 수영(swimming)이라는 운동이 인생의 한 부분을 채우게 될 줄은 상상도 하지 못 했다. 그리고 지금 수영은 우리 가족 삶의 일부분이 되어버렸다. 의도한 것은 아니었는데 그렇게 되었다. 이것이 바로 이 책에서 전국의 수많은 수영 초보자들에게 이야기 하고 싶은 수영의 매력이 아닐까 한다. 누구나 수영의 시작은 가벼운 호기심과 더불어 일단 배워두면 본인뿐 아니라 가족의 안전에도 도움이 될 것 같다는 막연한 기대감일 것이다.

그러나 막상 수영을 배우다 보면 영법 하나하나의 디테일(details)과 더불어 이 단계들을 하나씩 넘어설 때 마다 조금씩 발전해 가는 스스로의 모습을 지켜보는 과정은 수영에 빠져들 수밖에 없게 만드는 매력이 있다. 이 글을 읽는 독자가 만약 저자와 비슷한 40대 아저씨라면 대학시절 당구장을 수없이 드나들게 만들었던 당구의 매력, TV에서 게임방송을 보고 PC방에서 밤을 새게 만들었던 스타크래프트의 매력 등을 기억할 것이다. 이런 취미에 빠져들게 만드는 것과 비슷한 매력이 수영에도 있다.

지금은 수영을 배우기에 정말 좋은 시대이다. 특히 유튜브

(YouTube) 덕분에 수영 전문가들의 다양한 강습을 언제든지 접할 수 있으며 심지어 강습시간에 자세히 배우지 못하는 부분도 유튜브를 통해서 도전해 볼 수 있다. 한창 수영에 대한 관심이 커지면서 유튜브 뿐만 아니라 수영 관련 책도 검색을 해보게 되었는데 대학 전공 서적같이 수영 전문가들이 쓴 책들은 제법 찾아볼 수 있었다. 하지만 평범한 일반사람들이 왜 수영에 빠져들 수밖에 없는지에 대한, 어쩌면 시시콜콜할 수도 있는 과정들을 풀어놓은 일반적인 책들은 눈에 잘 띄지 않았다. 그렇지 않아도 요즘 개인적으로 책 쓰는데 재미를 붙이고 있었는데 내친김에 시작해보자는 평소 마음가짐대로 수영을 하러가는 길에, 또는 수영을 마치고 나왔을 때마다 짧게 기록해 두었던 스마트폰 메모들을 바탕으로 노트북 앞에서 시간이 날 때마다 타이핑을 치기 시작했다.

마침 첫째 딸도 함께 수영을 시작했고 아빠와 엄마가 수영에 빠져드는 과정을 옆에서 지켜봐 왔다. 글만 있는 책보다는 수영에 대한 그림이 더해진다면 조금 더 친근한 책이 될 수 있을 것 같아 첫째 딸이 그림을 맡아서 해보기로 했다. 어차피 수영 초보자들이 쓰는 초보 작가의 책이므로 수영에 대한 대단한 전문성을 기대하는 독자들도 없을 것이라 생각하고 우리 가족이 수영에 빠져들게 된 과정만큼이나 우리끼리 재미있고 의미있는 결과물을 만들어내 보자는 데 초점을 두었다.

책 제목은 처음 책을 쓰기로 마음먹었을 때 즉흥적으로 머릿속에 떠올랐던 아이디어를 그대로 살렸다. 수영장에서 가장 많이 사용하는 단어 중 하나인 접(접영), 배(배영), 평(평영), 자(자유형)에서 각 장

제목의 힌트를 얻어 40대 아저씨가 수영을 접하게 된 계기부터 수영을 배우면서 느끼고 체험했던 이야기들, 그리고 아내와 두 딸을 포함한 네 가족의 삶에 수영이 깊숙이 파고 들어오는 과정을 정리했다. 수영 초보자들이 챙겨볼만한 내용들은 팁(tip) 형식으로 덧붙여 보았다. 수영전문가나 수력이 제법 있는 수영인들이 보기에는 어설픈 내용일 수도 있다. 하지만 수영을 처음 접하는 사람들에게 누구도 이런 이야기들을 자세히 해주지 않는다는 점에서 초보자들에게는 도움이 될 수 있을 것 같다. 그리고 수영 고수들도 처음 수영을 시작했던 추억을 떠올릴 겸 재미삼아 읽어보면 좋을 것 같다. 각 영법에 대한 설명들은 개인적인 경험을 정리한 것임을 참고해 주시기 바란다.

예상컨대 이 책을 읽는 초보자들의 입장에서 가장 중요한 것은 '수영이 왜 그렇게 재미있는지'에 대한 부분일 것이다. 사실 수영이 아무리 좋다고 해도 안 해본 사람들에게는(또는 관심이 없는 사람들에게는) 소귀에 경 읽기와 같을 것이다. 그러나 수영 관련 책을 찾아보는 사람들은 지금 한창 수영에 빠져있거나 또는 수영에 관심을 가지려는 사람들 일 것 같다. 우리 가족에게 수영이 왜 이렇게 재미가 있었는지에 대해 일일이 이유를 들어 설명하기는 쉽지 않지만 누구나 예상할 수 있는 결론은 '수영은 꼭 한 번쯤 배워볼만 하다'는 것이다. 이 책을 통해 우리 가족이 수영에 빠져들게 된 과정들을 느껴보고 수영에 대한 관심이 생긴다면, 그리고 수영이 우리 가족에게 준 변화를 같이 한 번 느껴보고 싶다면 과감히 도전해 보시라고 이야기 하고 싶다. 전국의 수영장이 조금 더 복잡해지겠지만 말이다.

　책을 쓰는 과정에서 열심히 그림을 그려준 첫째 딸 서진이에게 가장 먼저 감사의 말을 전하고 싶다. 항상 어린 아기 같은 느낌인데 벌써 중학생이 되었다는 사실이 믿기지가 않는다. 그리고 지금은 아빠가 도저히 따라갈 수 없게 수영을 잘한다는 점은 더 믿기지가 않는다. 책을 쓴다고 둘째 서화와 제대로 놀아주지도 않고 주말마다 도서관에 왔지만 이해해주고 지원해준 아내 미혜에게도 감사의 말을 전한다. 아내의 수영실력은 항상 제자리에 있는 것 같지만 부부끼리는 서로 지적질(?)을 안 하는 것이 원만한 부부관계 유지에 도움 된다는 점을 참고하자. 마지막으로 무럭무럭 잘 자라주고 있으며 수영장에서 누구보다 열심히 코 잡고 잠수 연습을 하고 있는 늦둥이 둘째 서화에게도 감사한다. 머리와 팔 길이가 비슷한 4살 어린이의 자유형, 배영 팔 돌리는 모습이 너무 귀엽기만 하다. 그럼 본격적으로 가족과 함께 수영에 빠진 40대 아저씨의 이야기를 시작해보자.

2024년 6월
김경우, 김서진

본격적인 시작에 앞서,

<참고(1)> 이 책에서 언급된 수영 관련 전문용어(플립턴 등)는 네이
버 지식백과(스포츠백과 등)를 참고하여 기술했습니다.
 * 책의 전반에 수영을 배워가는 과정을 기술했지만 이것은 개인
적인 경험을 정리한 것이며 수영 영법에 대한 전문적인 강습을
정리한 것이 아님을 참고하시면 좋겠습니다.

<참고(2)> 글의 맥락에 따라 팔 동작, 스트로크, 발차기, 킥 등의
용어는 혼용해서 사용을 했습니다.

<참고(3)> 큰 딸의 그림은 '이비스 페인트X' 어플을 활용했습니다.

「접」

40대 아저씨, 수영을 **접**하다

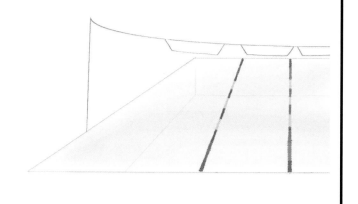

1/ 언제나 그렇지만 시작은 우연히

#1 동네 수영장의 개장

수영을 처음 시작할 때 대단하거나 거창한 목표를 가지고 시작한 것은 아니었다. 여기서 대단하거나 거창하다고 한다면 쉽게 예상할 수 있는 것이 다이어트 정도 일 것이다. 많은 사람들이 살을 빼기 위해서 수영을 시작하는 것은 사실이다. 나 역시 그런 기대 정도는 있었으니까 말이다. 그러나 우리 가족에게 있어 수영의 시작은 다이어트 보다는 커다란 수영장이 동네에 새롭게 개장한 것이 그 발단이었다.

몇 년 전부터 우리 동네에는 전국에서 제일 큰 규모의 수영장이 들어선다는 이야기가 지역신문을 장식하고 있었고 위치도 집에서 자차로 10분 정도 거리였다. 2022년 6월경, 드디어 수영장이 개장될 때 모든 동네 주민들의 관심이 여기에 집중되었듯이 우리 가족의 관심도 이 수영장에 있었다.

"도대체 얼마나 큰 수영장이지?"

"우리도 한 번은 가봐야지?"

"그럼 일단 수영을 시작해야겠네?"

　참고로 나는 운동을 잘 하는 편은 아니지만 운동하는 것을 좋아한다. 본격적으로 수영 이야기를 시작하기 전에 잠시 과거 학창시절부터 운동경력을 돌아보자면 한창 슬램덩크의 영향으로 키는 작았지만 중·고등학교 시절에 농구를 열심히 했고(90년대 중·고등학교를 다닌 아저씨들 중에 농구를 안 해본 사람은 없을 것이다), 군대를 제대하고 대학에 복학해서는 인라인 스케이트(특히, 프리스타일 스케이트: FSK)에 빠져 대학교 수업이 끝나면 새벽까지 교내에서 인라인 스케이트를 탔던 적도 있다(한창 젊을 때이기도 했지만 성인이 된 이후 최소 몸무게를 기록했을 정도로 운동량이 엄청났다).

　이후 직장생활을 하면서 한 때는 등산에 빠져 전국의 국립공원을 다 돌아보자는 목표로 주말마다 산에 갔던 적도 있었지만 결혼하고 신속하게 첫째가 태어나면서 자연스레 등산은 접어야 했다. 그리고 울산으로 발령이 나면서 부산(기장군)에서 울산까지 출퇴근 비용도 줄이고 운동도 해보자는 생각으로 자전거에 빠져 매일 아침저녁으로 집 인근 기차역까지, 그리고 울산 태화강역에서 태화강변을 끼고 사무실까지 자전거를 탔던 적도 있다(당시 무궁화열차가 있어서 중간에 자전거를 싣고 이동하는 코스).

어떻게 보면 다 같이 팀워크를 이루는 운동보다는 혼자서 하는 운동을 더 많이 즐겼던 것 같다. 안타깝게도 30대에 주로 했었던 등산이나 자전거는 회식자리와 함께 늘어난 체중의 감소에는 큰 영향을 미치지 못했다. 항상 70kg 초반 몸무게를 10년 넘게 잘 유지하고 있었으니까 말이다. 잠시 이야기가 샜지만 다시 수영 이야기로 돌아와서 동네 수영장은 예정대로 개장을 했고, 나는 무료로 운영되는 첫 시범 강습 기간에 용감하게 수영장으로 입장했다. 마흔 평생을 살면서 여행갈 때 갔던 호텔, 리조트 수영장을 제외하고 운동을 목적으로 수영장을 간 것은 이때가 처음이었던 것 같다.

#2 수영장에는 수건, 샴푸 등이 없다

처음으로 수영장에 갔던 날이 생생히 기억난다. 그럴 수밖에 없는 것이 그 날 수영은 하지도 못하고 샤워장에서 그대로 뒤돌아서서 퇴장했기 때문이다. '무식하다면 용감하다'는 말은 이럴 때 쓰라고 있는 말 같다. 처음 수영장을 가는데도 불구하고 제대로 알아보지 않은 내 잘못이 더 크지만 말이다. 6월 중순 첫 시범강습을 시작하는 날이었는데 아내는 무턱대고 가지 말고 제대로 알아보고 준비를 해서 가라고 말렸지만 원래 스타일대로 직진해서 수영장을 찾아 갔던 것이 화근이었다.

새벽 6시 시범강습에 참가해서 수영을 하고 바로 출근하겠다는 계획으로 하루 전날 옷장에 있던 래시가드 상의와 쫄쫄이 하의, 그리고 하의 위에 입는 바다수영용 반바지, 몇 년 전 워터파크 갔을 때 한 번 쓰고 구석에 처박아 두었던 수모, 여름철 바닷가 갈 때 또는 가끔씩 해외여행 갈 때 들고 갔던 수경을 챙겼다. 새벽 5시 반쯤 스마트폰 알람이 울리자마자 준비해둔 용품들을 챙겨서 수영장으로 향했다. 첫 발권을 하고 탈의실에서 옷을 벗고 사람들을 따라 샤워장에 갔는데 샤워꼭지 앞에서 물을 틀기 직전 불현듯 이런 생각이 들었다.

"가만, 샴푸랑 수건은 어디에 있지? 바로 회사가야 하는데,
혹시 수건이 없는 것은 아니겠지?"

주변에 물어보고 싶었는데 샤워장에 있는 사람들 모두가 샤워한다고 바빠 보여서 물어보기가 좀 그랬다. 혹시나 싶은 마음에 일단 래시가드 하의만 입고(그래도 눈치가 있어서 상의까지 입지는 않았다) 수영장으로 입장해서 안전요원을 찾았다. 쫄쫄이 래시가드 하의만 입고 수모도 쓰지 않은 나의 모습은 당연히 안전요원 눈에 띌 수밖에 없었다. 안전요원은

"회원님, 샤워하고 나오셔야 해요. 머리가 젖어 있지 않으면
다른 회원님들이 불편해 하세요"

라며 내가 물어보기도 전에 바로 말을 걸어왔다.

"저... 그런데 여기 수건이나 샴푸는 없나요?"

갑작스러운 나의 질문을 듣더니 안전요원은 어이없다는 표정으로

"개인용품들은 회원님이 직접 들고 오셔야 합니다!"

라는 답변을 주었다. '아뿔싸, 이게 무슨 말인가!' 그나마 불행 중 다행은 아직 몸에 물을 뿌리지 않았다는 것이다. 부랴부랴 탈의실로 가서 입고 왔던 옷을 주섬주섬 챙겨 입고 다시 집으로 돌아가서 씻고 그 날 출근을 했다. 샤워용품 뿐만 아니라 이 날 샤워장에서 누가 말해주지 않았음에도 직감한 또 다른 사실은 수영장에서 래시가드를 입는 사람은 없다는 것이었다.

　수영장에서는 운동용 실내수영복을 입어야 한다는 사실을 온전히 경험만으로 인지한 이상 당연히 다음 날 시범강습은 갈 수가 없었다. 그렇게 다가오는 주말을 기다려 나는 가족들과 함께 인근 아울렛의 수영복 매장으로 향했고 초보 수영입문자들이 통상 그렇듯이 가판대에 있는 가장 저렴한 수영복을 구매했다. 물론 수모와 수영복은 모두 검은색 계열이다.

#3 6월 중순의 첫 시범강습과 첫 수강신청

　개장한지 얼마 되지 않은 수영장에서 진행하는 시범강습이다 보니 정말 사람이 많았다. 시간이 지나서 알게 된 사실이지만 어느 수영장이나 초보자들이 모여 있는 강습반에는 특히나 사람이 많았다. 그리고 초보자 레인에서 순진한 어린 양과 같은 표정의 사람들이 단조로운 검은색 수영복 또는 80~90년대로 되돌아간 듯한 원색적인 디자인의 수영복을 입고 있는 모습도 수영장의 재미라면 재미이다. 그러나 첫 수영강습을 받는 사람들에게 수영복의 색상이나 디자인 따위는 관심사항이 아니다.

　처음 참여해보는 수영수업에서 강사라는 사람이 도대체 우리에게 무엇을 시킬지에 대해서만 모든 관심이 집중된다. 당연히 수영초보자들을 대상으로 대단한 내용의 강습은 없다. 일단 몸을 물에 담근 이상 '음~ 파~'라고 통상 이야기하는 물속에서 코로 숨을 내쉬고(음), 물 밖에서는 입으로 숨을 들이마시는(파) 기본적인 수영 호흡법을 연습하고, 기초 중에 기초인 자유형 발차기를 연습한다. 물속에 머리를 담그는 것부터 힘들어 하는 사람도 있고, '음파' 호흡이 잘 안 된다는 사람도 있다. 그리고 또 어떤 사람은 통나무처럼 뻣뻣하게 발차기를 하고 있지만 대부분은 수월하게 첫 강습을 시작했던 것 같다.

　그렇게 시범강습을 약 2주간 받았다. 한창 무더위가 찾아오는 6

월의 새벽 강습을 마치고 샤워 후 회사에 출근하는 기분은 정말 상쾌했다. 이때의 수영강습은 어려울 것이라고는 전혀 없는 기초만 배우는 수영수업이라 이 상쾌함이 배가(×2) 되었는지도 모르겠다. 약 2주간의 시범강습은 종료가 되었고 이후에는 여느 수영장처럼 수강신청을 해야 했다.

사실 집에서 가까운 거리에 수영장이 개장했기 때문에 수영을 시작하기는 했지만 지역에 수영장이 처음으로 개장한 것은 아니다. 수영을 시작하고 난 이후 알게 된 사실이지만 우리 지역(부산 기장군)은 다른 지역에 비해 수영을 배우기에 상당히 좋은 여건을 갖추고 있는 곳이었다. 군에서 운영하는 수영장 3곳, 한수원에서 운영하는 수영장 1곳, 심지어 사설 수영장도 1곳 있을 정도이니 시설 면에서는 압도적이었다. 그럼에도 불구하고 그전에 수영을 쉽게 시작하지 못 했던 가장 큰 이유는 수강신청이 곧 전쟁이었기 때문이다.

기억을 몇 년 전으로 거슬러 올라가보면 기존 수영장에는 온라인 수강신청 시스템이 없었던 것으로 기억된다(당시 수영에 큰 관심이 있을 때가 아니라 정확한 기억은 아니다). 그래서 새벽에 수영장 앞에 줄을 서서 신규 수강신청을 해야 했던 것 같다. 이때는 수영에 큰 관심이 없었으니 당연히 그 정도 부지런함은 없었다. 게다가 뒤에서도 이야기 하겠지만 옷을 벗고 하는 운동이라는 편견 때문에 수영을 시작할 엄두가 나지 않았다. 그러나 이렇게 집 가까운 곳에 수영장이 개장하고 온라인으로 수강신청을 한다고 해도 수강신청은 역시나 쉽지 않았다.

대학 시절의 수강신청이 기억나는가? 한 학기를 성공적으로 시작하기 위한 첫 단추는 수월한 과목의 수강신청에 성공하는 것이었다. 그래서 초시계로 타이머를 설정하고 수강신청 시작시간에 맞추어 '5, 4, 3, 2, 1' 카운트를 하고 전광석화와 같은 마우스 손놀림으로 희망하는(희망하는 수업들은 대부분 인기 있는 수업이다) 수업을 클릭했다. 지금도 이렇게 불리는지 모르겠지만 속칭 '광(狂)클릭'을 해야 했다! 요즘 수영 수강신청도 마찬가지이다. 광클릭을 하지 못하면 수강신청 시작 후 1분도 채 지나지 않아 대부분의 수업들은 수강신청이 끝나버린다.

당시 아내와 딸은 수영에 관심이 없었을 때라 일단 나만 수강신청을 했다. 오랜만에 대학시절 경험을 살려서 스마트폰으로 타이머 세팅을 하고 수강신청이 시작되기만을 기다렸다. 그리고 약속된 움직임으로 광클릭한 결과, 첫 수강신청을 성공할 수 있었다. 규모가 큰 수영장인 만큼 시간대별 수영강습도 많은 편이었지만 수강신청은 순식간에 '자리없음'으로 마감되었다.

곧 7월이라 계절적인 영향도 있었던 것 같다. 수영 수강신청은 날씨가 더워지는 여름이 가까워 올수록, 그리고 초급반일수록 성공하기가 어렵다. 어쨌든 성공적으로 수영 수강신청을 마쳤을 때의 기분은 대학 시절에 원했던 과목에 수강신청을 성공했을 때 이미 'A학점'을 따 놓은 것 마냥 기뻤던 것과 비슷하다. 그래서 자유형 정도는 손쉽게 마스터할 수 있을 것 같은 기분에 들뜬다. 다가올 현실은 전혀 다르지만 말이다.

수영을 배우기 위해서 가장 먼저 해야 할 것은 수강신청이다. 수영을 잘하는 지인이 있다면 자유수영 시간에 개별적으로 배우는 것도 불가능한 이야기는 아니지만, 지인찬스란 현실적으로 거의 불가능에 가까운 이야기이다. 서로 가볍게 가르쳐 주는 것 정도

야 어떻게든 할 수 있겠지만 수준을 끌어올리기 위해 강습시간처럼 연습을 하는 것은 거의 불가능하다. 결국 스스로의 능력으로 수강신청에 성공해서 강습을 받는 것이 현실세계 이야기이다. 이를 위해서는 일단 수강신청에 성공해야 하는데 앞에서도 이야기 했듯이 수강신청 자체가 전쟁이다.

여기에는 몇 가지 이유가 있는데 기본적으로는 요즘 대부분의 수영장들은 일몰제[1]를 하고 있다. 즉, 한 번 수강신청 성공했다고 영원히 그 수영장에 재등록 할 수 있는 것이 아니라 최소 일 년에 한

---

1) (참고) 시간이 지나면 해가지듯이 법률이나 각종 규제의 효력이 일정 시간이 지나면 자동적으로 없어지도록 하는 제도를 말한다.

번 또는 반년에 한 번(더 빠른 곳은 3개월에 한 번 일수도 있다)은 수강신청을 다시 해야 한다. 일몰제 운영에 대해서는 회원들 간에 의견이 나뉘는 것 같다. 수영장을 운영하는 운영주체 입장에서는 가능한 많은 사람들에게 수영을 배울 수 있는 기회를 공정하게 부여할 필요가 있다는 데에 중점을 두고 있는 것 같다. 수영을 계속하고 있는 생활수영인의 입장에서 보자면 한 두 달 하다가 그만 두는 초보자의 숫자가 만만치 않다는 점을 감안할 때 일시적인 관심으로 수영에 도전하는 사람들 때문에 운동의 연속성을 포기할 수는 없지 않느냐에 대한 부분이다.

이런저런 논란은 뒤로하고 최근 추세는 기회의 공정성에 조금 더 무게를 두고 대다수의 수영장에서 일몰제를 채택하고 있는 것 같다. 그리고 생활수영인들 입장에서도 조금만 넓은 마음으로 보자면 첫 추첨에서 탈락될 수는 있지만 결국 수영을 계속 하는 사람들이 다음 달, 또는 그 다음 달 수강신청에 계속 도전할 것이므로 수강신청에 성공할 가능성은 분명히 더 높다. 초보자들이 중간에 그만두는 비율이 더 높기 때문이다. 초보자들이 왜 이렇게 많이 그만두는지에 대해서는 뒤에서 조금 더 자세히 이야기 해보기로 하자.

초보자들이 수영을 시작하게 되면 반드시 숙지하고 있어야 하는 것이 '샤워'이다. 이 문제는 수영장에서 말다툼까지 발생할 수 있을 만큼 중요한 문제라는 점을 강조한다!!(한 번 더 강조!) 당연히 정답은 깨끗이, 그리고 꼼꼼히 자신의 몸 구석구석을 샤워하고 수영장에 입장하는 것이다. 정답이 정해져 있음에도 불구하고 말다툼까지 발생 수 있다고 강조하는 이유는 여러 오해가 발생할 수 있기 때문이다. 몇 가지 사례들이 있는데,

때수건

☑ 탈의실에서 이미 수영복을 입고 샤워장으로 가는 사람
☑ 샤워장에서 물만 대충 뿌리고 수영복을 입는 사람
☑ 수영복을 입은 채로 샤워하는 사람
☑ 아무 것도 안 하고 수영복만 입고 수영장으로 직행하는 사람

등이 대표적일 것 같다.

비슷해 보일 수도 있지만 공통적인 문제는 '샤워를 제대로 했느냐' 하는 부분이다. 수영은 기본적으로 커다란 수조(수영장)에 물을 받아두고(물이 계속 공급되고 순환되지만) 그 속에서 여러 사람들이 함께 수영이라는 운동을 하게 된다. 한정된 공간에 사람이 많아질 수록, 그리고 이 사람들의 신체 위생이 깨끗하지 않을수록 당연히 수영장의 물 오염도(수질)는 심각해 질 것이다. 모두가 함께 깨끗한 수영장을 이용하기 위해서는

「나 하나쯤이야」가 아니라 「나부터」

깨끗이 씻고 수영장에 입수할 필요가 있다. 안 보고 있는 것 같지만 옆에 있는 회원들이 다 보고 있다는 점을 참고하기 바란다. 옆 사람이 '제대로 샤워하고 수영장에 들어가세요' 라는 이야기를 직접 하지 않는 이유는 기분 좋게 운동하러 와서 다툼의 소지에 휘말리고 싶지 않기 때문이다. 수영장을 좀 다녀본 사람들 입장에서는 만약 이런 이야기를 하는 순간 상대방으로부터 다음의 답변이 돌아올 것이 예상되기 때문이다.

- ☑ 집에서 씻고 왔는데요
- ☑ 물샤워만 해도 괜찮은 걸로 아는데요(실제 일본 같은 곳은 물로만 샤워를 하는 것 같다)

☑ 아직 어려서 괜찮아요(부모입장에서만 아직 아기)

대충 씻어도 또는 이미 씻고 왔기 때문에 문제없다는 인식하에 나오는 이런 답변에 대해 옳고 그름을 따져봤자 서로 간에 말다툼으로 이어질 가능성이 크다. 설사 이런 생각을 가지고 있는 분들이 있다 하더라도 그냥

"다시, 그리고 제대로 씻고"

수영장에 입수하자! 그게 제일 깔끔하다! 한창 수영 하는 도중에 '저 사람 제대로 안 씻고 물에 들어가던데' 하면서 삼삼오오 수군거리는 이야기를 듣지 않으려면 말이다. 아이든 어른이든 샤워에 예외는 없다!

이렇게 깨끗이 씻고 입수해야 하는 수영장과 비교되는 장소가 있다. 바로 물놀이 하러 가는 워터파크이다. 그 동안 워터파크에 갔을 때마다 우리는 깨끗이 샤워를 하고 들어갔을까? 아마 남성들은 대충 래시가드만 입고 물에 들어갔을 가능성이 클 것이다. 그리고 여성들은 화장한 얼굴 그대로 입수한 경우도 많을 것이다. 실내 수영장에서 열심히 씻고 다니다 보면 워터파크의 수질에 대해 약간은 의심이 생기기 시작한다는 것도 수영을 시작하게 되면서 알게 되는 생각의 변화 중 하나이다.

앞에서도 이야기 했지만 수영장에서는 수건, 샤워용품 등을 제공하지 않는다. 사설 수영장은 비용이 비싼 만큼 수건을 제공하는 곳도 있지만 대다수의 국공립·시립 수영장에서는 제공하지 않는다(비누 정도는 제공하는 곳이 제법 있는 것 같다). 그렇기 때문에 기본적인 샤워용품, 수건(특히 중요!), 피부관리용 스킨이나 크림, 면도기, 그리고 치약 및 칫솔 등을 개인적으로 챙겨야 한다.

여기서 수건이 중요하다고 콕 집어 강조하는 이유는 샴푸나 바디샤워 같은 용품들은 빌려서라도 어떻게든 사용할 수가 있는데 반해 수건은 그렇게 하기가 힘들기 때문이다. 다른 사람이 이미 사용한 수건을 다시 사용하기는 좀 그렇지 않은가? 그러나 수영장에는 수건을 깜빡하고 안 가져오는 회원들을 심심치 않게 볼 수 있다. 그리고 정말 말도 안 되는 것 같지만 수영장에서는 수건을 깜빡 하고 안 들고 왔을 때 옆 사람이 사용한 수건을 빌려주는 아름다운(?) 장면이 연출되기도 한다. 실제 우리 아내의 이야기이기도 한데 아마도 이런 경험을 한 여성들이 제법 있을 것이다. 물론 남자 샤워장에서 이런 일은 거의 일어나지 않는 것 같다. 수건이 없으면 그냥 입고 왔던 옷으로 대충 물기를 닦고 나가는 수밖에 없다. 그러니 다른 용품들보다 수건은 가능한 잘 챙기는 것이 좋다!

추가로 치약과 칫솔도 꼼꼼히 챙기자. 수영은 입으로 숨을 들이마시고 코로 숨을 내 뱉는 운동이다. 당연히 입안으로 물이 들어올 수도 있고 들어온 물은 다시 뱉어내야 한다. 입안을 청결히 하는 것이 수영장 수질 관리에 큰 도움이 된다. 그래서 양치도 구석구석 깨끗이!!

<수영장에 필요한 용품과 절차 요약해 보기>

구분	준비사항	참고
용품	수영복, 수모, 수경을 챙기세요	수경에는 김서림방지(안티포그) 처리를 하면 좋아요
	샤워용품 * 수건, 샴푸, 바디샤워 또는 비누, 보습용품 등	수건을 반드시 확인해 보세요 * 그리고 이 용품들을 담을 수영가방도 필요하겠죠?
절차	반드시 거품샤워 후 입장	탈의실에서 수영복을 먼저 입지 마세요
	준비운동은 필수	가볍게 몸을 풀고 입수하세요

2/ 자유형, 첫 벽을 넘어서라

#1 자유형이 쉬워 보이는가?

　누구나 수영 하면 기본적으로 떠올리는 영법은 자유형이다. 배영은 물위에 제대로 떠있을 수 있을지에 대한 불안감이 있고(모든 영법에 공통사항일 수도 있다), 평영은 어릴 적 친구들과 개울가나 바닷가에서 하던 개구리 수영과 비슷해 보여서 친근감은 있는데 그 때의 개구리 수영이 맞는 것인지 정확히 잘 모르겠다. 접영은 전문적인 수영선수들이나 하는 넘사벽(넘을 수 없는 사차원의 벽)의 영법 같은 느낌이 든다. 실제로 이런 이유들이 영향을 미쳐서 그런 것인지는 모르겠지만 어쨌든 자유형은 수영강습 시간에 처음으로 배우는 영법이다.

　처음 수영 강습을 시작하면 물속에 머리를 담그고 '음~ 파~'라고 흔히들 이야기하는 물속에서 호흡하는 방법부터 시작한다. 이어서 함께 시작하는 것이 기본 중에 기본이라고 할 수 있는 자유형 발차기 연습이다. 대부분의 사람들에게 이 단계는 수월하게 진행되는 것 같다. 대나무처럼 부드럽게 허벅지부터 발목까지 사용하는 전문가 포스가 느껴지는 발차기는 아니더라도 제법 흉내를 내는 사람도 있고 또 어떤 사람은 자전거 발차기를 하는 사람도 있지만 말이다 (특히, 배영에서 자전거 발차기가 많이 보이는 것 같다).

어쨌든 첫 시작은 수영장 가장자리에 걸터앉거나 엎드려서 '찰랑찰랑~' 발차기를 연습하기 때문에 전혀 힘들 일이 없다. 이렇게 몇 번 연습을 하고 나면 그 다음 단계는 킥판(swimming float)을 잡고 물속에 엎드린 채로 발차기를 하며 앞으로 나가는 것인데, 이

때 숨이 차면 머리를 위로 들어 올려 앞에서 연습한 '음~ 파~'를 하면 된다. 물속에 머리를 넣을 때는 '음~' 하며 숨을 코로 뱉어 내고, 대충 숨을 들이 마실 때가 되었다 싶으면 머리를 들어올려 '파~' 하며 입으로 숨을 잽싸게 들이 마시고 다시 머리를 물속에 집어넣는 것이다. 이 때 발차기를 쉬면 안 된다.

가벼운 마음으로 수영장에 온 초보자들은 이 단계의 자유형 발차기 연습에서 의외로 엄청나게 힘이 든다는 것을 느낀다. 25미터를 끝까지 안 쉬고 완주한다면 대단한 것이다. 대부분은 가다 서다가를 반복하며 25미터를 가는데 도착해서 주위를 둘러보면 모두가 거친 숨을 '헉헉~' 내쉬고 있을 것이다. 이렇게 킥판을 잡고 자유형 발차기를 해 보면 물의 '저항'이 제대로 느껴진다. 자유형 발차기가 종아리 이하만 살짝살짝 움직여서 되는 것이 아니라 허벅지부터 움

직여야 한다는 사실을 인지하게 되면 이 자체만으로도 운동량이 상당하다는 것을 알게 될 것이다. 그래서 자유형 발차기 연습으로 25미터 길이의 수영장을 몇 번 왔다 갔다 하면 다른 곳보다 허벅지가 뻐근하고 심지어 다리가 후들거리기까지 한다. 아직 자유형은 제대로 배운 것도 없는 것 같은데 발차기를 할 때마다 거친 호흡을 내쉬는 자신의 모습을 발견하며 '도대체 다음은 뭐지?'를 고민하고 있을 때 즈음이면 강습을 시작한지 일주일 정도가 지나갈 것이다. 수영장에 물놀이 하러 온 것이 아니라 운동을 하러 왔구나 하는 것이 느껴질 것이다.

　다음 단계는 발차기와 더불어 스트로크, 즉 자유형 팔 돌리기를 연습한다. 일단 제자리에서 팔을 쭉 뻗은 채로 천천히 물속에서 원을 그리듯이 팔을 돌린 다음 물 밖으로 손을 꺼내서 다시 원래 팔의 위치로 되돌아오는 연습이다. 이 과정에서 보통 오른손잡이라면 오른손을 돌릴 때 고개를 오른쪽으로 함께 돌리면서 얼굴이 물속에서 나오면서 '음~(코로 숨을 내쉬고)', 얼굴이 물 밖으로 나왔을 때 '파~(입으로 잽싸게 숨을 들이마시고)', 그리고 돌아오는 팔과 함께 물속으로 다시 머리를 집어넣는 과정을 연습한다. 다음은 킥판을 잡고 연습하던 자유형 발차기와 스트로크의 조합이다. 강사님의 '출발!' 신호! 초급 레인은 거의 아수라장이 연출된다. 몸이 유선형으로 물 위에 누워 있어야 하는데, 45도 각도로 반쯤 선채로 가는 사람부터 팔은 돌리는데 호흡을 못 하는 사람, 왼쪽 오른쪽 팔의 박자가 안 맞는 사람 등 가지각색이다.

#2 의외로 첫 호흡을 성공하기가 쉽지 않다

    킥판을 잡고 스트로크와 발차기에 어느 정도 익숙해졌다 할지라도 킥판 없이 스트로크를 하면서 호흡하기가 여간 어려운 것이 아니다. 그리고 이 과정에서 사이드킥을 함께 연습하기도 하는데 엎드려서 차는 발차기도 힘든데 옆으로 몸을 반쯤 돌린 채 하는 발차기에서는 체력의 한계가 느껴지기도 한다. 배운 것들을 최대한 조합해서 킥판 없이 자유형을 하면서 첫 호흡을 위해 고개를 돌리는 순간 몸은 '꼬로록' 물속으로 가라앉는다. 도대체 어디에 문제가 있는 것일까? 이쯤 되면 수없이 들었던 말이 머릿속을 맴돌기 시작한다. 바로,

"수영은 몸에 힘을 빼야 해~"

    이 말의 의미는 분명 몸에 힘이 들어가 있다는 것인데 도대체 이 힘이라는 것을 어떻게 빼야 된다는 것인지 알 수가 없다. 인터넷 카페나 유튜브 등을 찾아보면 우리가 길을 걸을 때 아무런 의식하지 않고 자연스럽게 걸어 다니듯이 수영을 할 때 몸에 힘을 빼는 것도 비슷한 원리라는 이야기가 가장 많이 보인다. 그런데 말은 쉽지만 의식을 하지 않을 수가 없다. 지금 숨을 쉬지 못 하면 그 순간 숨이 막혀 죽을 것 같은 기분이 들기 때문이다. 이렇게 호흡이

잘 되지 않는 상황에서 자연스러운 자유형 동작이 나올 리가 없다.

시간이 지나고 보니 수영할 때 힘을 뺀다는 말은 결국 연습을 많이 해야 된다는 것으로 간단히 정리할 수 있을 것 같다. 계속 반복적으로 연습을 하는 수밖에 없다. 사실 우리가 걸어 다니는 것 자체를 의식하지 않을 수 있는 것은 태어난 이후 지금까지 수없이 반복연습을 했기 때문이다. 아기가 첫 걸음을 옮길 때까지의 모습을 생각해 보면 이해가 쉬울 것 같다.

연습을 하는데 있어서는 또 다른 문제가 하나 있는 것 같다. 결국 연습을 많이 하는 수밖에 없다는 생각을 가지고 호기롭게 도전을 하다가 보면 호흡을 시도하는 과정에서 수영장 물을 몇 번 마실 수도 있다. 아니, 실제 마시게 될 것이다. 자유형 호흡을 위해 고개를 돌리다 보면 물 위로 얼굴이 올라오는 타이밍과 호흡 타이밍이 제대로 맞지 않아 나도 모르게 입으로 또는 코로 물이 들어오는 경우가 많다(아직 얼굴이 수면 위로 올라오지 않았는데, 마음이 급해서 호흡을 먼저 하게 되는 경우가 많다).

문제는 초보자들에게 이 부분은 수영을 계속할지 말지를 진지하게 고민하게 만드는 변수가 될 수도 있다는 점이다. 즉, 원치 않게 수영장 물을 들이 마시게 될 때의 기분이 상당히 별로이다. 특히, 코로 물이 들어올 때의 기분은 더 좋지가 않다. 그냥 별로인 수준이 아니라 다음에 또 물을 마시게 되지 않을까 하는 불안감, 심지어 공포심도 느껴질 수 있다. 이런 심리적인 문제 때문에 용감하게 자유형 호흡에 다시 도전하기가 망설여질 수 있다. 그래서 생각보다 자유형 첫 호흡은 성공하기가 쉽지 않다.

한 편으로 다행인 점은 조금만 여유로운 마음가짐으로 왜 자신의 호흡이 제대로 되지 않는가에 대한 생각과 함께 현재 자유형 자세에 대한 몇 번의 교정 시도를 하다 보면 어느 순간 첫 번째 호흡을 성공할 수 있다는 점이다. 이것이 아주 어려운 문제라면 수많은 초보자들이 어떻게 수영을 계속 할 수 있겠는가! 누구나 조금만 연습하면 충분히 성공할 수 있다!!

#3 첫 25미터 완주

만약 자유형 첫 호흡을 성공했다면 아마 자유형 스트로크 2~3번 정도(즉, 호흡 2~3번)하다가 바닥에 발을 대고 일어나는 수준일 것 같다. 이제 다음 할 일은 25미터 레인을 끝까지 완주하는 것이다. 일단 첫 호흡을 성공하게 되면 다음은 의외로 수월하다. 오른팔 스트로크하면서 호흡, 왼팔 스트로크, 그리고 부지런히 발차기를 하다 보면 결국 레인 끝에 도착할 수 있기 때문이다. 이제 강습시간에 배우는 여러 가지 내용들에도 조금씩 자신감이 붙는다. 그리고 25미터를 완주하게 될 때 즘이면 수영에 재미가 붙었다는 것을 느낄 수 있을 것 같다. 여전히 몸에는 힘이 엄청 들어가 있는 채로 수영을 하기 때문에 25미터를 가더라도 거친 숨을 몰아쉬고 있기는 마찬가지이다. 여유롭게 가는 것이 아니라 어떻게든 억지로 만들어내서 25미터를 가는 것이다.

여기서 중요한 것은 힘들게 가느냐 쉽게 가느냐가 아니라 일단은 25미터를 완주했다는 사실이다. 25미터를 완주하면 50미터도 갈 수 있기 때문이다. 이제부터 할 일은 왜 이렇게 힘이 많이 드는지에 대한 고민을 하는 것이다. 수영은 우리가 길을 걸어 다니는 것처럼 힘을 안들이고 할 수 있어야 계속 할 수 있는데 이렇게 힘이 든다는 것은 분명 어딘가에 불필요한 힘이 들어가고 있다는 증거이니까 말이다. 처음 수영장에 갔을 때 신기했던 것 중에 하나가 상당한 시간동안 수영을 계속 하는 할머니, 할아버지들이었다. 저 분들은 젊은 사람들에 비해 신체적인 힘은 상대적으로 낮을 텐데 어떻게 저렇게 수영을 계속 할 수 있는 것일까? 요령이다. 수영을 장시간 할 수 있는 나름의 방법이 있는 것이다.

몇 가지 자세를 체크해보면 자유형이 훨씬 수월해 질 수 있다. 먼저 머리의 위치다. 생각보다 물 속으로 머리를 더 집어 넣어보자. 호흡을 하기 위해 머리를 돌릴 때 머리를 위로 들어 올리지는 않는지도 확인해보자. 나의 경우에 머리를 위로 들어 올리지 않기 위해 일부러 시선을 5시 방향에 두기도 했다. 결국 머리 위치는 나의 시선에 따라 결정될 가능성이 크므로 호흡을 할 때 시선을 어디에 두는 것이 나은지 고민해보자. 아직 물잡기 같은 고급기술은 배우지 않았기 때문에 스트로크를 할 때 팔을 쭉 뻗고 제대로 물이 뒤로 밀리고 있는지도 확인해보자. 지금 단계에서는 팔을 돌리는 속도와 힘에 의해 머리가 물 밖으로 나오고 있을 가능성이 크기 때문에 물이 제대로 팔에 걸리고 있는지도 느껴볼 필요가 있다.

그리고 역시나 중요한 것은 발차기이다. 수업시간에는 여전히 발차기를 열심히 하고 있을 것 같은데 제대로 발차기가 되고 있는지도 확인해 보아야 할 것 같다. 발바닥이 수면 밖으로 너무 많이 올라오고 있지는 않는지, 물속에서 물을 제대로 누르며 몸을 앞으로 보내는 느낌인지... 나는 발차기 할 때 귀에 들리는 소리에 집중했는데 제대로 발차기가 되고 있으면 '축축축~' 하는 소리가 물속에서 들리는지도 확인해 보자. 무엇보다 종아리 아래로 발을 차는 것이 아니라 허벅지부터 움직임이 시작되어 부드럽게 발목까지 연결되고 있는지 확인해 보는 것이 좋다.

이외에도 롤링(몸이 좌우로 적절히 균형감 있게 움직이는 것), 앞에서 버티고 있는 팔의 위치(적절히 물속에 잠길 수 있도록), 스트로크 했을 때 다시 물에 들어가는 팔의 위치 등 챙겨볼 것이 한 두 개가 아니다. 이 많은 것들을 한꺼번에 다 하는 것은 사실상 불가능하다. 그러나 시간을 가지고 하나씩 개선해 나간다는 생각으로 한 동작 한 동작에 집중하다 보면 어느새 조금씩 빨라지고 부드러워져 있는 모습을 발견할 수 있을 것이다. 처음 25미터는 힘들게 갔지만, 다음 50미터, 75미터, 그리고 100미터를 갈 수 있다는 것은 위에 말한 것들 중에 어떤 것이 나아지고 있다는 증거니까 말이다. 그리고 무엇보다

"몸에 힘을 빼는 것이 무엇인지 조금씩 느껴질 것이다!!"

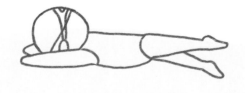

　강습을 시작해보면 강사님들은 수업계획에 따라 진도를 나가지만 회원마다 배우는 속도에는 차이가 많다. 어떤 사람은 타고난 운동신경으로 한 번에 따라가기도 하지만 어떤 사람은 상대적으로 배우는 속도가 느릴 수 있다. 심지어 어떤 사람은 아무리 해도 안 되는 경우도 있다. 그래도 초급 단계에서는 포기하지 않고 문제점들을 조금씩 수정하면 금방 따라갈 수 있을 것이다. 이런 선천적인 운동신경과 학습능력 이외에도 초보자들의 실력 향상에 중요한 것은 바로 자유수영이다. 즉, 혼자만의 연습이 필요하다.

　강습시간에는 회원들이 모두 다 같이 하다 보니 개인적으로 어떤 부분에서 부족함을 느끼더라도 따로 연습할 수가 없다. 강습 시작 전, 또는 강습 시작 후 짧게는 5분, 길게는 10분 정도 잠시 연습할 시간이 있을 수도 있지만 이 정도 시간으로는 충분하지 않은 것 같다. 그래서 주말을 이용한 자유수영이 필요하다. 일일 자유수영은 말 그대로 정해진 시간에 수영장에 입장해서 자유롭게 수영하는 것이기 때문에 무엇이든 시도해 볼 수가 있다.

특히, 초보자들은 초급 레인에서 발차기, 호흡할 때의 머리 위치, 스트로크 움직임, 롤링 등 다양한 본인의 자세에 대한 여러 시도를 해 보고, 어떤 것을 했을 때 조금 더 나아졌는지 테스트해 볼 수가 있다. 강습 때처럼 뒤에서 다른 사람이 쫓아오는 것이 아니기 때문에 훨씬 마음의 여유가 있다. 앞에서 처음 자유형 호흡을 시도할 때 원치 않게 수영장 물을 마실 때의 심리적 영향에 대해 잠시 언급했지만 처음 수영을 배울 때 잘 안 되는 이유 중 하나가 바로 뒤에서 누가 쫓아오고 있다는 압박감을 들 수 있다. 내가 먼저 가야 된다는 심리적 압박감은 천천히 하면 충분히 할 수 있는 것들을 제대로 하지 못 하게 만드는 원인 중 하나이다. 최근 우리 강습반 선생님이 좋은 것 중에 하나는 항상

"천천히 하세요~ 천천히~~!
빨리 하는 것이 중요한 것이 아닙니다"

라고 말해준다는 점이다. 그래서 회원들은 빨리 가려고 하기 보다

는 자세에 조금 더 집중할 수 있다. 자유수영은 이렇게 뒤에서 따라오는 사람을 크게 신경 쓸 필요가 없다는 점도 장점이다(자유수형 할 때 중급 레인이나 고급 레인에서는 이야기가 다르다. 여기서는 혼자 느긋하게 하고 있으면 눈칫밥 먹기 십상이다). 그래서 초보자들은 초급 레인에서 눈치 보다가 적절히 내 뒤에 바로 출발할 사람이 없다 싶을 때 느긋하게 해 보고 싶은 여러 가지들을 테스트 해 보면 된다. 이렇게 개인적인 연습시간을 가지는 것이 초반 실력 향상에 엄청난 영향을 미치는 것 같다. 나는 수영을 시작하고 주말에 자유수영을 쉰 적이 거의 없다.

사실 주말마다 자유수영을 가는 이유가 꼭 수영 실력 향상에만 있지는 않다. 즉, 소소하지만 자유수영이 가지는 또 다른 장점이 있다. 주말에도 아침에 일어나면 씻어야 하지 않는가? 그리고 오후에 자기 전에도 씻어야 한다. 온라인 수영카페에 보면 '씻수'라는 용어를 심심치 않게 볼 수 있다. 단어 그대로 '씻으러 가는 수영'을 말한다. 어차피 씻어야 하는 거 수영장 가서 가볍게 운동도 하고 씻고! 그래서 '일석이조'이다.

동네마다 수영장 비용이 다르겠지만 집에서 운동도 안 하고 물값, 보일러값 들어서 씻는 것에 비하면 운동도 하고 2번이나(입장할 때 한 번, 수영 마치고 나올 때 한 번) 씻을 수 있으니 나름 나쁘지 않다. 우리 동네 같은 경우 입장료가 저렴해서 주말이면 전 가족이 자유수영을 간다.

그리고 어린이들을 양육하고 있는 가정에 해당될 수 있는 이야기인데 우리 집에도 늦둥이 어린이가 한 명 있다(이제 만 4살이 되었으니 어린이라고 하자). 봄에는 미세먼지 때문에 밖에서 돌아다니기가 어렵고 여름에는 덥고 또 겨울에는 추운데 이 천방지축 어린이를 데리고 매번 마트나 키즈 카페를 돌아다닐 수도 없다. 그렇다고 집에만 있자니 이건 부모도, 애도 몸살이 날 지경이다. 둘째가 만 3살 때부터 우리 가족이 수영에 빠지기 시작한 관계로 주말마다 자유수영을 할 때 함께 데리고 갔는데, 정말 이 맘 때 우리 가족의 수영 시작은 '신의 한 수'였다고 이야기 하고 싶다.

어린이에게 물놀이보다 더 좋은 것이 있을까? 내가 자유수영 하는 동안 아내가 유아풀에서 애와 놀아주고 아내가 자유수영하는 동안은 내가 애와 놀아준다. 이렇게 2시간 정도 물놀이를 하고 샤워를 마치고 나오면 여름에는 여름대로 시원하고 겨울에는 찬바람조차도 시원하게 느껴질 정도로 개운한 맛이 있다. 돌아오는 차 안에서 코를 골며 낮잠을 자는 늦둥이를 뿌듯하게 지켜보는 것은 덤이다. 우리 가족이 수영을 시작하지 않았다면 주말마다 이 자유로운 영혼을 데리고 어디를 가야할지 골머리를 앓았을 텐데 수영은 이 문제를 간단히 해결해 주었다는 것도 상당한 장점인 것 같다.

✎ **수영 초보자들이** ✓ 수영장 도장깨기
알면 좋은 팁tip feat. 전국 수영장 돌아보기

기왕 자유수영 이야기를 시작했으니 조금 더 이야기를 이어가자. 수영의 여러 장점 중 하나는 수영복, 수모, 수경, 그리고 간단한 샤워용품만 있다면 어디서든 수영을 할 수 있다는 것이다. 수영용품은 부피를 많이 차지하지 않기 때문에 작은 가방에 이것들을 챙겨 다녀도 전혀 부담이 없다. 그래서 보통은 동네 수영장만 다니는 것이 아니라 소위 '원정 수영'이라고 해서 '수영장 도장깨기(?)'를 다니는 사람이 제법 많다. 이렇게 옆 동네 수영장 구경도 할 겸 원정 수영을 가는 것도 좋지만 개인적으로는 출장 또는 여행 때 전국의 수영장에서 자유수영 하는 것을 추천한다.

각자 일하는 여건이 다르겠지만 만약 전국 어디든 출장을 갈 일이 있다면 출장 가방에 수영용품을 챙겨서 가보자. 보통 출장이라고 하면 이동해서 업무하고 저녁에는 동료들과의 술자리 등으로 이어질 가능성이 큰데 여기에 수영을 한 번 추가해 보자. 출장지 인근에 있는 수영장을 미리 검색해 보고 아침에 출장지의 수영장에서 자유수영을 즐기는 것이다. 출장 가서도 아침에 운동을 할 수 있고 전날 여행의 피로도 말끔히 씻어낼 수 있을 것이다. 물론 과도한 음주 뒤에 아침 수영은 추천하지 않는다.

여행을 가서도 마찬가지이다. 우리 가족은 늦둥이 둘째가 태어나기 전에는 캠핑을 참 많이 다녔다. 둘째가 태어나면서 당분간 가기가 어려워진 것도 있지만 한 편으로는 그새 캠핑 인구가 엄청나게 증가하면서 '가족과의 힐링'을 위한 캠핑이 아니라 캠핑장이 '주말 술자리판'으로 바뀌는 것을 체감하면서 자연스레 캠핑에 대한 열정이 줄어들었다. 그런 와중 수영은 캠핑 대신 여행의 묘미를 북돋아주는 아이템이 될 수 있었다.

이제는 여행을 가더라도 항상 현지의 수영장을 찾아보고 가족 모두가 새로운 수영장에서 원정 수영을 한다. 단지 새로운 수영장에서 수영을 해봤다는 것 이외에도 수영장에서 가볍게 몇 바퀴 돌면서 운동도 하고, 개운하게 샤워를 하고 나오면 여행의 피로를 풀어주는 감초 같은 역할을 한다. 그 동안 여행과 출장 도중에 직접 다녀 봤던 자유수영이 가능한 전국의 수영장 몇 곳을 소개하자면 다음과 같다. 자유수영이 가능한 시간은 미리 검색을 해보고 가시기를 추천한다.

<직접 방문했던 수영장 도장깨기 리스트>

지역	(지역) 수영장명	참고사항
경상도	(부산 기장군) 정관아쿠아드림파크	* 전국 최고 규모의 수영장, 레인 26개(50미터 레인 3개 포함) * 상시 오리발 가능 * 어린이용/유아용 별도 풀이 있음.

지역	(지역) 수영장명	참고사항
	(부산 기장군) 기장군국민체육센터	* 동해선 좌천역 인근의 일 반적인 수영장 * 주차공간이 넓음
	(부산 기장군) 국민생활체육센터	* 24년 4월 타일교체로 깔 끔하게 재단장
	(부산 기장군) 고리문화센터	* 자유수영 시간대가 자유 로워 언제든지 수영을 할 수 있는 수영장
	(양산) 주민편익시설	* 양산은 도시 규모대비 수 영장이 많이 없어서 수강 신청이 어려운 곳 * 주차는 수월함
	(양산) 웅상문화체육센터	* 월요일에도 하는 수영장 * 지하주차공간이 넓지만 바로 옆에 있는 공공시설 도 주차 가능 * 오리발 레인 있음
	(울산) 중구수영장	* 울산혁신도시내 수영장 * 주차가 어려움 * 자유수영 시간대에 오리 발 불가 * 레인 반대편은 상대적으 로 수심이 깊음

지역	(지역) 수영장명	참고사항
	(울산) 문수수영장	* 수영경기가 가능한 대규모 수영장 * 주차장이 넓음 * 키150센치 이하 어린이는 입장 불가
	(영양) 청소년수련관 수영장	* 조용한 시골 동네 수영장 * 자유수영 시간이 1시간으로 짧음
	(산청) 산청군실내수영장	* 조용한 시골 동네 수영장 * 평일 자유수형에는 사람이 거의 없음
	(창녕) 남지국민체육센터	* 시골이지만 최근에 지어진 신식 수영장
	(김천) 김천시 시설관리공단 실내수영장	* 수영경기가 가능한 대규모 수영장 * 수심이 제법 깊음(약 1.3미터 수준) * 넓은 주차공간
충청도	(천안) 국민체육센터	* 유관순체육관 옆에 위치 * 주차공간은 넓지만 그 만큼 주차된 차량도 많음
	(진천) 생거진천국민체육센터	* 수심이 1.05미터 * 어르신들이 많음 * 오리발 레인도 하나 있음

지역	(지역) 수영장명	참고사항
	(청주) 청주실내수영장	* 2미터 깊이의 수심이 있 는 수영장
	(충주) 장애인형국민체육센터	* 넓은 주차공간과 깨끗한 최신식 수영장
	(충주) 삼원초등학교수영장 (충주수영장)	* 하늘을 보며 수영을 할 수 있는 야외 수영장 * 최근 공사에 들어감

	(세종)
	코오롱스포레스
	세종청사점
		* 세종정부청사 바로 옆에
		  있는 수영장
		* 자유수영 시간이 제한적
		  이고 사람이 많은 편임
		* 인근 호텔에 묵는다면 버
		  스가 자주 와서 편하게
		  가볼 수 있음

전라도	(전주) 덕진수영장	* 전주의 전통 한옥과 어우 러진 멋진 수영장 * 주차공간이 넓음
	(목포) 부주산국민체육센터	* 2층에서 1층으로 내려가 는 구조 * 샤워장에서 수영장까지

지역	(지역) 수영장명	참고사항
		조금 걸어가야 함 * 외관과 다르게 실내는 오래된 느낌이 있음
	(광주) 상무국민체육센터	* 상무지구에 있는 개끗한 수영장 * 자유수영 시간대가 많음 * 바로 옆에 일가족양립지원분부 수영장이 있음(자유수영은 오전에 남성입장 불가!)
강원도	(춘천) 올림픽기념국민생활관	* 새벽 5시부터 운영하는 수영장 * 주차공간에 여유가 있음
경기도	(안산) 선부다목적체육관	* 월요일 자유수영 시간에 생각보다 사람이 없어 조용하게 수영을 즐길 수 있는 수영장 * 지하철 선부역에서 도보로 이동 가능

※ 서울은 실내수영장이 많지만 평일 자유수영이 가능한 곳을 찾기가 쉽지 않음

3/ 아침마다 500cc 원샷 하게 만드는 배영

#1 강사님, 코에 계속 물이 들어와요

다음은 배영이다. 자유형이 완벽하지 않아도 강사님은 무심하게
도 계속 진도를 나간다. 자유형이 엎드려서 하는 영법이라면 배영
은 반대로 물 위에 누워서 하는 영법이다. 상식적으로 생각해본다
면 마치 방바닥에 누워 있듯이 편안하게 물 위에 누워서 떠있을 수
있어야 할 것이다. 안타깝게도 현실은 그렇지가 못하다. 문제는 물
위에서 과연 떠있을 수 있을 것 인가 하는 부분이다. 다행히 우리
에게는 킥판이 있다. 킥판의 도움을 받는다면 그래도 물위에 눕는
것 까지는 어느 정도 가능할 것이다. 그리고 자유형이 발등으로 물
을 누르는 발차기라고 한다면 배영 발차기는 발등으로 물을 차올리
며(자유형과 반대) 앞으로 나가는 것이다. 일단 자유형부터 발차기를
계속 해 왔기 때문에 나름 몸을 물위에 띄워 앞으로 나아갈 수 있
을 것이다.

여기까지는 어떻게 가능한데 킥판 없이, 특히 팔을 머리 위로 쭉

뻗은 유선형 자세를 만들어 배영 발차기를 하면서부터 본격적인 문제가 시작된다. 천장을 보며 배영 발차기를 하는데 코로 쉴 틈 없이 물이 들어오고 이렇게 필터링 절차 없이 코로 들어온 물이 목구멍으로 '꼴깍꼴깍' 넘어가는 경험을 할 수 있다. 자유형을 할 때 같으면 강사님이 시키는 대로 따라하며 별다른 질문을 하지 않았지만 이것은 도저히 질문을 하지 않을 수가 없다.

"쌤~ 코에 물이 왜 이렇게 많이 들어오나요?
이거 뭐가 문제죠?"

지나고 보니 원인은 간단했다. 자유형과 마찬가지로 여전히 몸에 힘이 많이 들어가 있는데다가 배영 발차기도 제대로 되지 않았고, 엉덩이가 아래로 빠져있는 것과 같은 문제가 복합적으로 얽혀있기 때문에 얼굴이 물위로 올라오지 못하는 것이다. 얼굴이 물속에 잠겨 있으니 코에 물이 들어올 수밖에 없다. 이때는 아침수영을 하고 있을 때였는데 한 동안 수영을 마치고 나면 아침을 안 먹어도 배가 부를 정도였다.

#2 팔 박자와 어깨 롤링, 도대체가 맞지가 않다

처음에 배영과 관련해서 유튜브를 찾아보면 참 쉬워 보인다. 그리고 자유형을 뒤집은 것이 배영이기 때문에 간단해 보이지만 막상 해 보면 무엇인가 잘 맞지가 않다. 사실 배영은 첫 시작부터가 조금 이상하다. 자유형은 유선형 자세로 팔을 쭉 뻗고 시작하는데 반해 배영은 수많은 초보자들이 차렷 자세로 시작하는 경우가 많다. 그리고 자유형은 팔을 돌리는 순간 물속에서 풍차처럼 팔이 움직이는데 반해 배영은 그렇지가 않다. 그냥 옆으로 돌리는 느낌이 더 강하다고 할까? 발차기는 자유형보다 더 급하게 더 빨리 차는 것 같은데 신기하게도 몸은 계속 가라앉는 느낌이다. 종합해보자면 간단할 것 같지만 도대체 무엇인가 잘 맞지가 않다.

그래서 배영을 시작하면 일단 물에 몸을 띄우고 어느 정도의 스트로크로 나아가는 것 까지는 되는데 딱 거기까지다. 의외로 그 다음부터 실력향상이 잘 되지 않는다. 수업시간에 배영 롤링, 스트로크 방법, 그리고 발차기 요령 등을 계속 배우지만 이상하게 잘 되지 않는 것 중에 하나가 배영일 수 있다. 그리고 초보자들이 배영을 하다 보면 레인의 오른쪽에 붙어서 직진을 하지 못하고 반대쪽 차선(?)을 침범해서 반대편에 오는 사람과 충돌 하는 경우도 심심치 않게 발생한다.

나도 초보자 시절에 한창 배영을 연습하다가 상대방과 머리 대 머리를 그대로 부딪친 적이 있다. 수영이 달리기와 같은 속도감으로 하는 운동은 아니기 때문에 '물속에서 부딪혀 봐야 얼마나 아프겠냐' 라는 생각을 할 수 있는데 생각 외로 충격이 있다. 그래서 배영을 할 때 깃발선이 보이면 속도를 줄이고 다시 자유형 자세로 만드는 것이 중요하다. 아무 생각 없이 계속 가다가 25미터 레인 끝의 벽에 머리가 부딪힌다고 생각하면 아찔하다.

자유형은 누구나 수영을 시작할 때 배우는 영법이기 때문에 대부분은 어떻게든 해나가는데 배영부터는 영법 마다 호불호가 갈리기 시작한다. 어떤 사람은 배영이 잘되는 사람이 있고 어떤 사람은 잘되지 않는다. 이후에 나오는 평영, 접영 역시 마찬가지이다. 그러나 강습반 수준이 올라갈수록 접·배·평·자2)를 같이 연습하기 때문에 결국은 넘어야 할 영법 중 하나이다.

#3 결국 배영은 잘 안 하게 되는 영법 중 하나

배영 실력이 잘 늘지 않는 데에는 여러 원인이 있을 수 있지만 강습 시간 이외 자유수영 할 때를 살펴보면 배영을 연습하는 사람이 많이 없다는 것은 배영 실력향상이 더딘 원인 중 하나일 것 같다. 자유수영할 때 배영을 연습하지 않게 되는 원인 역시 제각각 다양하겠지만 공통적인 것을 굳이 꼽자면 결국 앞뒤 또는 옆 사람과의 간격 및 충돌 문제일 것 같다. 물 위에 누워서 천정만 보며 가는 영법이다 보니 잘 모르는 사람들과 부딪힐 수도 있다는 점에서 민감할 수밖에 없다. 강습반에서도 배영 속도가 안 맞아서 뒤쪽에 있던 사람이 앞사람을 앞지르게 되면서 앞사람 배위로 올라타게

---

2) (참고) 접영, 배영, 평영, 자유형을 줄여서 보통 이렇게 부른다. 전문용어로는 IM(individual melody)라고 하는데, 수영강습 시간에 가장 많이 사용하는 용어 중 하나이다.

되는 희한한 모양새가 연출되기도 하는데 자유수영일 때는 어떻겠는가? 그리고 막상 배영은 자유형, 접영, 평영처럼 남들이 볼 때 상대적으로 모양새 있는 자세가 나오는 영법이 아니라는 점도 한 몫하는 것 같다. 어떻게 보면 운동을 한다는 것보다는 느긋하게 쉬어가는 영법 같다는 이미지도 있는 것 같다. 그래서 호텔 수영장 같은 곳에서 '놀수(놀면서 수영하기)' 또는 '황제수영(혼자서 수영장을 독차지 하며 수영하기)'을 할 때 느긋하게 배영으로 수영하는 모습들이 많이 나오기도 한다.

내가 잘할 수 있는 영법만 해도 되겠지만 결국 수영강습을 어느 정도 따라가려면 잘 안 되는 영법도 차근차근해 나갈 필요는 있다. 옆에서 아내와 딸은 수영선수 할 것도 아닌데 뭘 그렇게 죽기 살기로 하냐고 이야기하지만 그래도 강습시간에 내 순번을 지키려면 어느 정도는 해야 되지 않을까? 그리고 아내와 딸의 말처럼 너무 강박적으로 할 필요가 없다는 것도 사실이다. 즐기는 것이 가장 중요하니까 말이다!!

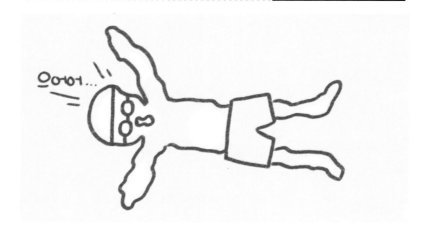

수영을 시작하면서 가장 많이 듣는 말이

"수영은 몸에 힘을 빼야 돼~"

라는 말이다. 사실 말로(여기서는 글로) 이 의미를 설명하기란 쉽지 않은 것 같다. 이것이 말로 이해가 되는 일이었다면 누구나 쉽게 몸에 힘을 빼고 수영을 하고 있지 않겠는가? 비교를 하자면 자전거 를 타는 것과 비슷하다. 자전거 타는 것을 말로 설명해서 이해하고 배울 수 있는가? 누가 옆에서 아무리 설명해 줘도 결국은 자기가 직접 자전거를 타보고 몸으로 체득해야 한다. 그런 면에서 우리 강습반 강사님의 말은 다시금 무릎을 탁 치게 만드는 명언이다.

"설명은 계속 똑같아요! 아무리 말로 설명해줘도 자기가
느껴보지 않으면 알 수 없어요."

몸에 힘을 뺀다는 것은 초보자들이 수영을 할 때 가장 어렵게 느끼는 부분 중 하나임에는 의심할 여지가 없는 것 같다. 그리고 이 부분은 나중에 중급 이상으로 수영을 하더라도 계속 신경 쓰이는 부분이기도 하다. 장거리를 하는데 있어서 힘이 든다는 것은 개인적인 체력 문제도 있겠지만 반대로 어딘가에 불필요하게 힘이 계속 들어가고 있다는 의미이기도 하기 때문이다.

어쨌든 연습을 계속 하는 수밖에 없다. 뒤에서 몇 번 더 이런 이야기를 하겠지만 결국 수영장과 수영에 대한 생각의 변화가 필요할 것 같다. 수영장에서는 '물이 곧 땅'이며, 수영은 곧 '걷고 달리는 일'이다.

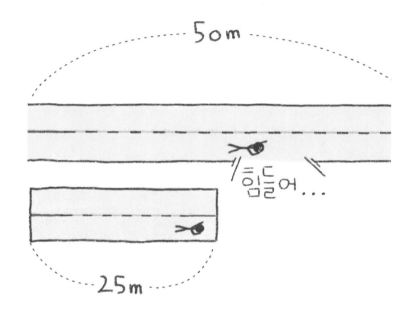

초보자들이 열심히 수영장을 다니다 보면 어느 순간 관심이 가는 것 중 하나가 수영장 레인 길이이다. 대부분의 동네 수영장들이 25미터 길이의 레인을 가지고 있는 경우가 많아서 50미터 길이의 레인에서는 수영을 한 번도 안 해본 사람도 있을 것이다. 우리 가족도 수영을 처음 시작할 때만 해도 50미터 레인은 생각조차 해보지 않았지만 시간이 흘러 25미터 레인을 2~3번 정도는 왔다 갔다 할 수 있을 정도의 수준이 되었을 때 자연스레 이런 생각이 들었다.

"50미터 레인에서 수영을 해 보면 어떤 느낌일까?"

다행히 동네 수영장은 50미터 레인을 보유하고 있어서 과감히 도전을 시작했던 기억이 난다. 사실 50미터 레인을 편도로 가는 것이나 25미터 레인을 왕복하는 것은 결국 거리 면에서는 동일한데 어쩐지 50미터 레인에서 하는 사람들은 수영을 잘하는 사람일 것 같다는 생각이 든다. 실제로 50미터 레인은 한 레인의 폭이 더 넓기도 하고 길어진 레인길이 만큼 중간에 멈춤 없이 가야 되기 때문에 분명히 차이가 있다. 그리고 25미터 레인은 중간에 한 번 턴 (turn)을 해야 하지만 50미터 레인은 턴의 빈도가 1/2로 줄어들기 때문에 이 부분에서도 차이가 있다.

50미터 레인을 한 번 경험해보기를 추천하고 싶다. 분명한 것은 일단 해 보면 확실히 더 멀고 더 오래 해야 한다는 것을 체감할 수 있다. 그리고 만약 동네 수영장에 50미터 레인이 없다면 인근 동네로 마실 삼아 또는 가벼운 여행 삼아 원정 수영을 가보는 것도 좋을 것 같다. 충청도 청주의 한 실내수영장으로 기억이 되는데 여기는 50미터 레인인데 심지어 깊이도 2미터 정도였다. 2미터 수심은 초보자들에게는 아찔한 도전일 수 있기 때문에 일부러 도전을 해보라고 추천을 하지는 않는다. 하지만 만약 어느 정도 레인을 왕복할 수 있는 실력이 된다면 이런 도전이 수영에 대한 새로운 동기를 불어넣을 수도 있기 때문에 나름 의미 있는 도전이 되지 않을까 한다.

여기서는 편견에 대한 이야기를 해 보고자 한다. 편견이란 단어 뜻 그대로 '공정하지 못 하고 한쪽으로 치우진 생각(네이버 국어사전)'이다. 수영을 시작하는데 있어 걸림돌 중 하나는 아마도 수영에 대한 편견이 아닐까 한다. 나도 사실 수영을 시작하는 것이 망설여졌던 이유는 수영에 대한 편견 때문이었다. 대표적으로 다음과 같은 것들이 있을 것 같다.

☑ 수영은 몸매가 좋은 사람들이 하는 것이 아닐까?
☑ 수영복을 입는 그 자체가 부끄러울 것 같은데?
☑ 몸에 털이 많아서(또는 피부가 안 좋아서) 신체 노출이 부담스러운데?
☑ 수영이 생각보다 힘든 운동이라던데 이 나이에 가능할까?

　나도 40대 아저씨인 만큼 몸매도 좋지 않고, 털도 많아 수영복을 입는 것 자체가 상당히 꺼려진 것이 사실이다. 운동을 하고자 한다면 얼마나 다양한데 하필 다 벗고 하는 운동을 선택할 이유는 없으니까 말이다. 사실 수영에 빠져든 지금은 왜 다른 운동보다 수영이 더 좋은지에 대해 여러 가지 이유를 이야기 할 수 있다. 하지만 초보자들에게 수영은 평범한 운동복 대신 수영복을 입고 하는 운동일 뿐 꼭 수영을 해야 할 이유를 찾기 어렵다는 것이 현실일 것이다.
　그러나 위의 생각들이 사실은 편견일 뿐이라는 것을 알게 된다면 수영을 접하기가 조금은 수월해 지지 않을까 한다. 그냥 하는 말이 아니라 정말 저런 생각들은 수영을 해 보지 않은 사람들이 가지는 단편적인 편견이다. 하나하나 그 이유를 살펴보자면,

☑ 수영은 몸매가 좋은 사람들이 하는 것이 아닐까?
　☞ 수영장에 있는 대부분의 사람들이 본인과 비슷한 사람이라고

생각하면 된다. 이것은 생각만 그렇게 하라는 말이 아니라 실제로 그렇다. 오히려 수영장에서 여러분들이 생각하는 그런 몸매 좋은 사람들을 찾아보는 것이 아마 더 어려울 것이다. 그리고 초보자들의 가장 큰 오해 중에 하나가 누가 나의 몸매를 쳐다보는 것 일 수 있는데, 안타깝게도 수영장에서는 다들 자기 수영하기 바빠서 상대방 몸매를 감상할 시간이 없다. 강습 수영은 옆 사람 따라가기 바쁘고, 자유수영 역시 기본적으로 운동을 하러 오는 것이기 때문에 다른 사람을 쳐다볼 겨를이 없다고 이야기 하는 것이 정확할 것 같다.

☑ 수영복 입는 그 자체가 부끄러울 것 같은데?

☞ 혹시 상황과 맥락이라는 것을 들어본 것이 있는가? 자전거를 타면 나만 자전거 전용 쫄쫄이 옷을 안 입었을 때 더 부끄럽다. 축구를 하는데 축구화를 나만 안 신었을 때 더 신경이 쓰인다. 집 인근에서 달리기를 하더라도 러닝화 같은 운동화를 챙겨 신고 싶다. 마찬가지로 수영장에서 나만 다른 모양의 수영복(특히, 래시가드[3] 또는 긴팔, 긴 다리의 수영복처럼 몸을 최대한 가리는 수영복)을 입으면 괜히 신경이 쓰인다. 수영장이라는 맥락에서는 모두가 실내수영복을 입기 때문에 전혀 신경 쓸 요소가 아니다.

---

3) (참고) 보통의 수영장에서 래시가드는 허용되지 않는 복장이다. 가끔 어린이들만 허용을 해주는 곳이 있을 수도 있지만 실내수영장에서는 운동용 실내수영복을 착용하는 것이 기본이다.

☑ 몸에 털이 많아서(또는 피부가 안 좋아서) 신체 노출이 부
담스러운데?

☞ 수영복을 입고하는 운동이다 보니 몸 곳곳에 있는 털에 전혀
신경이 쓰이지 않는 다면 거짓말이다. 여성들은 상당수가 제
모를 하니 그렇다 치고(수영을 하다 보면 매일 수영장에 오기
때문에 제모의 수준(?)은 더 높아질 수도 있다), 남성들은 본인
스스로 털에 신경이 쓰이는 사람도 있을 것이고 또는 본인은
괜찮은데 다른 사람들이 눈치를 주는 경우도 있을 것 같다.

　사실 털은 무시해도 아무 상관이 없다. 앞에서 수영복과
비슷한 경우로 상대방 털을 구경하고 있을 시간이 없다. 그
리고 어떤 수영장에도 털을 제모하고 입수하라는 문구는 없
다. 그러나 개인적인 경험으로는 제모를 하는 것도 나쁘지
않은 것 같다. 나도 털이 많은 사람 중 하나였지만 막상 제
모를 하고 보니 의외로 괜찮은 점이 더 많은 것 같기 때문이
다(예를 들어, 깔끔하게 더 예쁜 수영복 착용 가능). 뒤에서 수영
용품에 대한 몇 가지 추천을 할 때 제모용품도 언급해 볼 예
정이다.

☑ 수영이 생각보다 힘든 운동이라던데 이 나이에 가능할까?

☞ 수영장에 가면 놀라운 것 중 하나는 할머니, 할아버지들이
정말 많다는 것이다. '수영장에 나이 드신 분들이 왜 이렇게
많지?' 이 부분은 처음 수영장에 갔을 때 정말 신기했던 부

분이었다. 운동에 남녀노소가 어디 있겠느냐 마는 이것은 누구나 할 수 있는 운동이 수영이라는 것을 반증하는 것이기도 하다. 그리고 젊고 힘이 넘치는 사람보다 할머니, 할아버지가 느긋하게 더 오래 수영하는 모습을 심심치 않게 발견할 수 있을 것이다. 운동이니 당연히 힘이 든다! 그래야 운동한 효과가 있을 테니까 말이다. 그러나 누구나 할 수 있는 운동이 수영이다.

「배」

배움에 빠지다

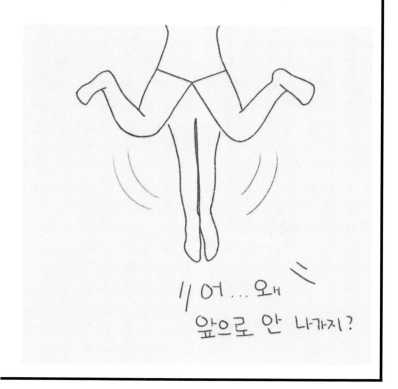

4/ 곧 수많은 평포자들을 만나게 될 것이다

○

5/ 의외로 재미있는 접영

4/ 곧 수많은 평포자들을 만나게 될 것이다

#1 평영킥은 어릴 때의 개구리 발차기가 아니다

평영에 대해서는 할 말이 많다. 지금도 제일 안 되는 영법 중 하나가 평영이기 때문에 더욱 그런 것 같다. 그렇다고 다른 영법이 아주 잘되는 것은 아니다. 평영을 생각하면 쉽게 떠오르는 것이 어린 시절 개울가나 바닷가에서 하던 '개구리 발차기'하는 수영이다. 나도 수영을 배우기 전까지는 물놀이 가서 수영이라고 했던 것이 이런 개구리 발차기 수영이었다.

몇 년 전 베트남 다낭으로 가족 여행을 갔을 때였는데 호텔 수영장에서 사진 몇 컷을 찍고 나면 특별히 할 것이 없어 딸아이가 물놀이 할 때 아내와 맥주나 한 잔 마시는 것이 전부였다. 심심하던 차에 유튜브에서 수영하는 법을 검색해 보고 따라했던 것이 평영 영법이었다. 10분 정도 유튜브를 보고 호텔 수영장에서 따라 해보니 나름 숨은 쉬면서 앞으로 가지는 것 같아서 '의외로 수영도 별거 아니네' 라고 생각했던 기억이 난다. 지금 생각해보면 그 때의 평영은 제대로 된 평영이 전혀 아니었지만 말이다.

어쨌든 배영 이후 다음 단계는 평영이다. 어린 시절 개구리 발차기를 생각하고 평영을 한다면 큰 오산이다. 개구리 발차기 모양의 평영 발차기(웨지킥[4])도 있지만 무릎을 굽히고 발목 모양을 만드는 것부터 해서 제대로 된 평영발차기를 하기란 생각보다 어렵다. 그래서 이 장의 제목처럼 수많은 평포자(평영을 포기한 자)들을 만나게 된다는 것이 괜히 있는 말이 아니라는 것을 평영을 시작하게 되면 느끼게 된다.

다음 장에서 언급할 접영과 평영 중에 무엇이 더 어렵냐에 대해서는 개인적인 호불호가 있을 수 있는데 나 같은 경우에는 평영이다. 정말 해도 해도 발전이 없는 것이 평영 같은데 잠시 볼멘소리를 하자면 접·배·평·자를 하더라도 중간에 평영만 끼어들면 모든 영법이 엉망이 될 정도이다. 그렇다 보니 강습시간에도 평영만 하면 자연히 순번이 뒤로 밀린다. 강습시간에 순번을 조정해야 할 정도이니 나름 스트레스를 받고 있는 영법이라고 할 수 있다. 문제의 원인을 지적하자면 신체 자세부터 심리적인 부분까지 복합적이겠지만 어쨌든 평영이 그렇게 만만한 영법이 아니라는 것은 분명하다.

보통 평영을 처음 배우게 되면 평영 발차기를 위해 발모양을 만들고(발목을 꺾고 무릎을 굽혀 W모양을 만든다), 다음 단계로 킥판을 잡고 평영 발차기를 하는데 여기서 발차기는 둘 중 하나로 나뉜다.

---

4) (참고) 여기서 언급하는 평영의 웨지킥과 윕킥 동작에 대한 전문적이고 자세한 내용은 수영강습이나 유튜브 등을 통해 참고하시기 바란다.

개구리 발차기와 비슷한 발차기(웨지킥)를 하는데 잘 나가는 사람, 또는 무엇이 문제인지는 모르겠지만 어쨌든 잘 안 나가는 사람이다. 처음부터 윕킥을(다리를 W모양으로 만들어서 허벅지는 최소한으로 벌리고 종아리 이하 부분을 돌려서 차는) 차는 초보자들은 거의 없다고 봐야 하기 때문에 대부분은 웨지킥 모양으로 평영 발차기를 하는데 그 중에는 나름 잘 나가는 사람들이 있다. 특히, 남성에 비해 신체 유연성이 좋은 여성들이 평영 발차기를 할 때 부드럽게 잘 나가는 것을 보면 조금 더 유리한 점이 있는 것 같다.

#2 의외로 팔, 다리 조합이 어렵다

이렇게 평영 발차기를 시작하면 그 다음은 평영 팔, 즉 스트로크를 배운다. 평영에서의 스트로크는 호흡을 위해 상체를 띄워 올리는 수단이다. 그리고 평영은 팔 보다는 다리, 즉 발차기가 추진력의 약 70%를 차지한다고 하니 다리에 비해서는 팔의 비중이 큰 것은 아니다. 그렇다고 팔을 무시해서는 안 된다. 평영하는 사람들을 가만히 살펴보면 수면 위로 상체가 어깨까지 멋지게 올라오는 사람도 있지만, 어떤 사람들은(대다수의 초보자들이 여기에 해당되지만) 머리만 잠깐 올라왔다가 다시 물속으로 들어가는 경우도 있다. 발차기와 스트로크의 복합적인 영향이 있겠지만 일단은 스트로크 하는 방법에서 차이가 있기 때문인 것 같다.

팔을 어떻게 움직여야 하는지에 대한 방법을 배우고 나면 이제
할 일은 팔과 다리의 조합이다. 정석은 팔 먼저, 그 다음 발차기 순
서이다. 이것은 아주 간단해 보이는데 의외로 잘 되지 않는다. 그리
고 여기서 평영의 속도를 결정짓는 디테일들이 있는데, 스트로크
이후에 몸을 다시 유선형으로 만들면서 언제 다리를 몸 쪽으로 끌
어와서 발차기를 하느냐에 따라 발차기의 효과가 결정되기도 한다.
즉, 완전히 팔 동작이 완전히 끝난 이후에 발차기를 시작하느냐, 또
는 팔 동작이 아직 완전히 끝나지 않았는데 발차기를 시작하느냐
등에 따른 차이가 있다.

평영은 상체 동작과 하체 동작이 시작되는 시점에 따라 가장 큰
저항이 발생하니 이 동작을 어떻게 하느냐에 따라 속도에 영향이
있는 것 같다. 하루는 수영을 마치고 샤워장에서 '왜 이렇게 평영이
안 될까'에 대한 고민에 빠져있을 때, 옆 레인에서 수영하는 상급반
회원이 이런 말을 한 적이 있다.

"저도 평영 발차기 제대로 되는데 몇 년 걸렸습니다"

이 말을 들으니 그나마 위안이 되기는 했다. 암튼 이 장의 제목처
럼 주변을 둘러보면 수많은 평포자들이 수영장에 있을 것이다. 이
런 말이 적절할지는 모르겠지만 어설프게 잘 안 되는 평영연습에
시간을 할애하기보다 앞에서 이야기한 배영이라도 먼저 제대로
완성하는 것이 나을 수도 있다. 평영은 영법을 새롭게 배워야 하
는 것이지만 배영은 자유형을 뒤집은 것이니 생각하기에 따라 쉽

게 될 수도 있으니까 말이다. 그리고 평영과 접영은 상하로 움직이는 영법이라는 점에서도 자유형, 배영과는 차이가 있다. 어쨌든 접·배·평·자를 하게 되면 배영, 평영 둘 다 잘 안 되는 것 보다 배영이라도 잘 되는 것이 낫지 않을까 한다.

#3 더 큰 문제는 가라앉는 것과 속도

평영의 팔다리 조합도 쉽지는 않지만 이것은 또 연습을 반복 하다보면 맞춰진다. 이것이 된다고 평영이 완성된다고 생각하면 오산이다. 평영 스트로크를 하고 발을 차다보면 어느 순간 이런 생각이 든다. '왜 이렇게 몸이 물속으로 깊게 가라앉지? 이 정도 가라앉는 것이 정상인가?' 아마 정상이 아닐 것이다. 물속으로 깊이 가라앉는다는 말은 올라오는데 더 많은 시간이 소요된다는 것이고 그 만큼 호흡도 늦게 하게 되니 숨이 더 가빠져올 것이다. 숨이 가빠지니 마음은 점점 급해지고 그러면 몸이 수면에 가까이 올라오지 않았는데 빨리 상체를 올리려는 마음에 이미 팔은 스트로크를 시작할 것이다. 결국 수면 위로 머리만 '빼꼼' 올라왔다가 다시 '푹~' 물속으로 가라앉는 것의 반복이다.

상체가 물 위로 빨리 올라가지 못하는 이유 중에 하나는 발차기 영향이 큰 것 같다. 발차기가 물을 제대로 밀어내지 못 하니 몸이 앞으로 나가지 못 하고 제자리에 있다 보니 빨리 떠오르지 못하는 것이다. 평영은 팔, 발차기, 그리고 유선형으로 글라이딩 하는 것처럼 간단하다고 했지만 이 간단한 과정이 쉽게 되지 않는 이유는 상당히 복합적인 것 같다.

한 동안은 수영장에 가서 계속 평영 연습을 했다. 발차기를 교정하고 싶어서 풀부이(pull buoy)도 사고, 평영 발차기 교정용 무릎밴드도 사서 1시간 내내 평영 발차기만 한 적도 있다. 또 어떤 때는 상체를 띄우기 위해 오리발을 신고 평영 스트로크와 접영킥을 조합해서 연습을 계속 하기도 했는데, 평영 스트로크는 속도가 붙으면 확실히 나아지는 것을 체감할 수 있었다. 문제는 오리발을 벗고 평영 발차기와 조합하면 다시 또 제자리라는데 있었다.

요즘은 마음을 조금 느긋하게 먹기로 했다. 앞에서 말했지만 수영 선수할 것도 아니지 않은가? 그리고 수많은 평포자들이 있는 이유는 그 만큼 시간이 걸리는 영법이기 때문일 수도 있다. 수영 카페에서 '그래도 포기 하지 않으면 언제가 조금씩 나아질 것이다' 라는 글을 봤던 것 같기도 하다.

> "평포자들이여~ 포기는 하지 맙시다! 그래도 평영까지
> 왔으면 수영은 할 수 있게 되었잖아요?(^^;;)"

평영은 초보자들에게 어려운 영법
이다. 평영을 하면 할수록 더욱 나락
에 빠져가던 어느 날 수영을 마치고
샤워장에서 샤워를 하다가 문득 머릿
속을 스치는 생각이 하나 있었다.

"왜 이렇게 힘이 들까?
그런데 가만히 보니까 호흡을 좀 이상하게
하고 있는 것 같은데..."

평영 호흡을 하는 내 모습을 가만히 생각해보니 물속에서 평영
스트로크를 할 때 상체가 올라오면서 '음(숨을 코로 내쉬는)'을 하는
것이 아니라 머리가 물 밖에 나왔을 때 '음~ 파~'를 동시에 하고
있는 것 같았다. 다음 날 수영장에 가서 평영을 하면서 확인해보니
정말 그렇게 하고 있었다.

"이런, 안 그래도 평영을 할 때마다
몸에 힘이 들어가서 힘이 든데,
호흡까지 이렇게 하고 있으니 더 힘이 들지!!"

라는 생각이 들었다. 유튜브를 찾아보니 의외로 평영 호흡을 이렇게 하고 있는 사람들이 많다고 했다. 나만 그런 것이 아니라는 점에서 위안을 삼았지만 다시 호흡부터 연습할 생각을 하면 막막하기도 했다.

한 번 여러분의 평영 호흡은 어떤지 체크해 보시기 바란다. 그리고 다른 영법들과 마찬가지로 올라오면서 코로 호흡을 내쉬고, 스트로크를 끝내고 머리를 물속에 다시 집어넣을 때 재빨리 호흡을 들이마시실 수 있도록 연습해보자. 호흡 시간이 길어질수록 상체가 물 위에 오래 떠 있어야 하고 그럴수록 몸이 물속에 가라앉을 가능성은 더 높아지기 때문이다. 참고로 평영 호흡뿐만 아니라 접영 호흡 역시 비슷한 문제가 있을 가능성이 높으므로 함께 체크해 볼 필요가 있다!!(이 사실을 깨닫고 보니 접영도 비슷하게 하고 있는 나의 모습을 발견하고 2차 좌절을 했다는 것은 안비밀)

혹시 헤드업 영법에 대해 들어본 적이 있는가? 중급반 정도 가면 어느 순간 강사님이 헤드업 영법을 주문한다. 헤드업 영법이란 머리를 들고 자유형을 하거나 또는 평영을 하는 것이다. 제목만 들어봤을 때 쉽게 할 수 있을 것 같은 생각이 드는가? 수영강습을 좀 받아봤던 사람이라면 일단 힘이 드는 영법이라는 생각이 들 것이다.

맞다! 강사님의 시범을 보면 참 쉽게 하는 것 같은데 이것을 따라하는 회원들은 할 때마다 거친 호흡을 내쉰다. 특히, 헤드업 자유형이 그런 것 같고 의외로 헤드업 평영은 수월하게 해내는 사람들이 많은 것 같다. 물론 나는 둘 다 잘 안 되는 경우에 해당된다. 강사님의 이야기를 들어보면 헤드업 자유형은 자유형 스트로크를 끝까지 제대로 밀어주는 것이 포인트라고 하는데 왜 이렇게 힘이 드는지 알 수가 없다. 헤드업 평영을 잘 하는 사람들은 특별히 가르쳐주는 것이 없는데도 잘 하는 것 같고, 반면에 안 되는 사람들은 계속 머리가 물속에 들어갔다 나왔다 하며 머리만 든채로 앞으로 나아간다. 하나 더 있다. 트라젠 영법이라고 들어봤는가? 헤드업 상태로 자유형 스트로크에 평영 발차기를 조합하는 영법이다. 구조영법이라고도 했던 것 같은데 역시나 강사님 말에 의하면 자유형 스트로크로 물을 밀어내는 박자에 평영 발차기를 맞추는 것이 요령이라고 했다.

"으아~ 너무 어렵다!!"

이 정도 되면 자유형, 배영, 평영도 잘 안되는데 계속 응용 영법들이 추가되니 더욱 수영이 어렵게 느껴질 수도 있다. 그리고 이런 영법들을 할 때마다 요령이 부족하니 결국 힘으로 하는 경우가 많은데 체력이 뒷받침 되지 않으면 역시나 더 힘들게 느껴진다.

첫째 딸이 이런 영법들을 잘하니 자유수영 할 때 따로 배워보기도 했는데도 생각만큼 실력이 늘지는 않는다. 수영을 할수록 마음의 여유가 있어야 하고 강습 시간 이외에 자유수영을 통해 체력을

기를 필요성이 느껴지는 이유들이다. 아! 참고로 위에서 언급한 것들 이외에도 다리 사이에 풀부이 또는 킥판 끼고 자유형, 주먹 쥐고 자유형 또는 접영, 배영 팔에 접영킥 또는 평영킥, 자유형 팔에 접영킥 등 각종 다양한 영법의 조합이 여러분들을 기다리고 있을 수 있으니 일단 마음이라도 느긋하게 먹는 것이 좋을 것 같다.

수영은 자세가 중요한 운동이다. 자세를 어떻게 취하느냐에 따라 더 멀리 그리고 더 빠르게 갈 수 있기 때문이다. 그리고 다른 사람들이 수영하는 모습을 보면 폼 나게 수영을 하는 사람도 있는 반면에 어떤 사람들은 모양새 빠지게 수영하는 사람도 있다. 그래서 나는 어떻게 수영을 하고 있는지 궁금해진다. 참고로 수영자세에 있어서 강사님들의 생각은 분명히 다를 것이다. 아마도 외적으로 보이는 폼보다는 물 밑에서 움직이는 자세를 더 중요하게 생각할 것이다.

수영장에서는 수업 시작 전에 또는 수업이 끝나고 회원들끼리 서로의 자세를 봐주고 고쳐야 할 부분들을 이야기 해주기도 한다. 인터넷 수영 카페 같은 곳을 보면 자신의 수영하는 모습을 촬영해서 업로드하고 카페 회원들의 댓글을 구하기도 한다. 그러나 보통의 수영장에서는 영상 촬영이 금지되어 있다. 그래서 본인의 수영 모습을 보기 위해서 일부러 영상 촬영이 가능한 수영장을 찾아다니기도 한다. 일반적으로 호텔이나 리조트 수영장, 또는 해외여행 갔을 때 수영장에서는 촬영이 가능한 것 같다.

확실히 내가 수영하는 모습을 보면 단번에 무엇이 문제인지 알아

차릴 수 있다. 그 동안 유튜브에서 수없이 봐왔던 수영전문가들의 자세와는 확연히 다른 점이 눈에 들어오기 때문이다. 일단 자신의 문제점이 무엇인지 알아야 고칠 수도 있기 때문에 자신의 자세를 보는 것은 상당히 중요한 것 같다.

이렇게 촬영 장비를 통해 나의 수영하는 모습을 보는 것 말고도 수영장에서도 자신의 모습을 볼 수 있는 방법이 하나 있다. 허벅지 사이에 풀부이를 끼고 평영 발차기 연습을 계속 하던 날이었다. 역시나 잘 되지가 않았다. 그러다 천장 조명 덕분에 우연히 수영장 바닥 타일에 나의 다리 모습이 비치는 것을 발견하고 평영 발차기 모습을 직접 눈으로 보면서 연습한 적이 있다. 이 방법은 지금도 자유수영할 때 사람이 많이 없으면 수영장 바닥타일을 쳐다보며 나의 자세를 교정하는데 활용하는 방법인데 평영 발차기에 있어서는 촬영한 것과 비슷한 효과가 있는 것 같다.

그리고 수영을 하다보면 옆 레인에 있던 회원이 나의 자세에 대해 이야기를 해주는 경우가 있을 수 있다. 이렇게 상대방이 나의 자세에 대해 이야기 하는 것에 대해 호불호가 있을 수도 있다. 즉, '왜 남의 자세에 대해 왈가왈부 하느냐'라고 생각할 수도 있는데, 조금 마음을 넓게 쓰면 다들 그 만큼 수영에 관심이 많다는 증거일 수도 있다. 때로는 옆 레인 회원이 세세하게 지적해주는 내용이 강사님의 반복적인 설명보다 나을 수도 있기 때문이다. 물론 너무 오지랖이 넓으면 주변 사람들 수영하는데 민폐가 될 수도 있다.

5/ 의외로 재미있는 접영

#1 평영보다 쉽게 느껴진다?

　자유형부터 시작해서 드디어 접영까지 왔다. 개인적으로 평영이 어려워서 그런지 접영에 대해 쓰려고 하니 마음부터 편하게 느껴진다. 제목은 평영보다 쉽게 느껴진다고 했지만 그렇다고 접영이 처음부터 쉬운 것은 아니다. 앞에서도 이야기 했지만 평영을 상대적으로 더 어렵게 느끼는 사람도 있겠지만 반대로 접영을 더 어렵게 느끼는 사람도 분명 있다(접포자?).

　한창 평영을 배우고 있는데 강사님은 또 어김없이 진도를 나가셨다. 그래서 배우기 시작한 것이 '입수킥과 출수킥'으로 불리는 접영 발차기였다. 앞에서 평영과 접영은 신체를 상하로 움직이는 영법이라고 이야기 했던 것이 기억날 것이다. 그래서 접영도 물속으로 들어갈 때 차는 발차기(입수킥)와 몸이 물 밖으로 나올 때 차는 발차기(출수킥)가 있다. 발을 차는 방법이야 둘 다 비슷한데 이 발차기를 언제 어떻게 차야 하는지가 문제였다.

당시 수업시간에 강사님은 물 밖에서 킥판을 바닥에 쌓아두고 다리를 킥판에 올려둔 채로 바닥에 엎드려서 발차기를 하면서 엉덩이가 올라오는 연습을 먼저 시켰다. 그리고 나서 물속에서 킥판을 잡고 입수킥 할 때 머리를 넣고, 출수킥 할 때는 머리를 들고 호흡을 해라고 했는데 도대체 이 박자를 맞추기가 쉽지 않았던 기억이 난다. 결국 강사님이 직접 나의 머리를 잡고 입수킥 찰 때 머리를 넣고 출수킥 찰 때는 머리를 들어 올리면서 반강제로 박자를 맞춰주니 그 나마 접영 발차기가 됐었다.

이렇게 접영 발차기를 연습하고 나면 다음은 자유형 팔돌리기와 비슷하게 접영 스트로크를 입수킥, 출수킥과 함께 하면서 박자를 맞추는 연습을 했던 것 같다. 한팔 접영이라고 하는 이 단계까지는 그래도 무난했던 것 같다. 일단 스트로크 자체가 자유형과 비슷하기도 했고 입수킥과 출수킥 타이밍만 맞추면 얼추 비슷한 느낌으로 할 수가 있었기 때문이다. 이때에는 자유수영을 가면 자유형 2~3바퀴 정도는 할 수 있어서 자유형과 한팔 접영을 번갈아가며 연습했던 기억이 난다.

#2 그런데 왜 앞으로 잘 안 나갈까?

진짜 문제는 본격적으로 양팔 접영을 하면서 시작되는 것 같다. 초보자들의 양팔 접영 모습을 보면 흔히들 말하는 '만세접영(머리를 크게 들어 올리면서 접영 스트로크를 하는 모습이 마치 만세를 연상한다고 해서)'을 하는 경우가 대부분이다. 만세접영과 더불어 또 다른 문제는 스트로크에 출수킥, 그리고 입수킥까지 했는데 생각보다 몸이 앞으로 나아가는 느낌이 별로 없다는 점이다. 마치 제자리에서 접영을 하는 것 같은 느낌이 든다. 평영 발차기를 했는데 앞으로 '쭉~' 나가는 느낌이 없는 것과 비슷하다. 앞으로 나가는 느낌이 없다는 것은 그 만큼 더 많이 스트로크를 해야 되고 결국 체력적인 문제와도 직결된다.

처음에는 만세접영을 고치는데 신경을 많이 썼던 것 같다. 그래서 일단은 머리부터 집어넣고 팔이 따라올 수 있도록 상체가 올라오면 짧게 호흡을 하고 바로 머리부터 물속에 집어넣는 연습을 많이 했다. 확실히 개선되는 느낌이 있었다. 그리고 여기까지가 중급반에서의 강습이었다. 이후 고급반[5]으로 한 단계 레벨 업을 했는데 여전히 제자리 접영 느낌은 쉽게 개선되지가 않았다. 고급반에서 만난 강사님은 처음 자유형을 할 때 연습했던 '물타기'에 대한 이야기를 해주었다. 접영이 앞으로 나가는 느낌을 받으려면 물타기부터 다시 연습을 해야 했고, 특히 이 과정에서 입수킥으로 몸이 물속에 들어가고 나면 가슴을 밀고 엉덩이를 집어넣어 몸이 자연스럽게 물을 타는 느낌을 알아야 한다는 내용을 여러 번 강조했다.

---

5) (참고) 수영장마다 강습반을 구분하는 레벨에 차이가 있다. 어떤 수영장은 '초급반, 중급반, 고급반, 상급반'으로 구분 짓기도 하고 어떤 수영장은 '기초반, 중급반, 연수반'으로 구분 짓기도 한다. 통일된 반 구분은 없으므로 각 수영장마다 구분된 강습반에는 실력 차이가 있을 수 있다는 점을 참고하자.

이 단계 정도 되면 강습시간 마다 이론은 이미 여러 번 들었고 유튜브도 볼만큼 봤기 때문에 어느 정도 머릿속에는 부드럽게 물을 타고 넘어가는 전문 수영인의 모습이 그려진다. 문제는 여전히 몸이 따라가지 못한다는 점이었다.

#3 머리(턱) 위치의 디테일

  고급반에서의 수영은 중급반과는 확실히 차이가 있었다. 일단 운동량이 더 늘었다. 중급반에서는 일주일에 2번씩 오리발(fins)을 차고 연습했는데, 고급반에서 만난 강사님은 오리발보다는 맨발 훈련을 더 강조했다. 사실 이 때는 오리발을 차면 안되는 영법이 없었기 때문에 맨발 연습에 집중하는 것이 더 필요한 단계이기도 했다.
  계속 맨발로 접·배·평·자를 다양하게 연습했고 특히, 접영을 연습하던 어느 날 이런 이야기를 들었다. 물타기를 제대로 해야 몸이 앞으로 나아가는 느낌이 오는데 여기서 중요한 것은 머리(=턱)의 위치라는 것이다. 즉, 입수킥을 차면서 물속으로 들어갈 때는 유선형 자세를 만들기 위해 머리를 숙여야 하지만 다시 올라오려면 고개를 들어야 몸이 올라오기 시작한다는 것이었다(머리의 위치는 곧 턱의 위치를 어떻게 하는 것과 동일하다).

"오...."

그 전까지 전혀 생각도 하지 못했던 부분이었다. 그대로 따라해 보니 강사님 말처럼 접영을 할 때 머리의 위치를 어떻게 하느냐는 상당히 큰 영향이 있는 것 같았다. 다시 순서를 정리하자면 입수킥 으로 들어갈 때는 유선형 자세를 최대한 만들 수 있도록 머리를 집 어넣고, 다시 수면 위로 올라오려면 머리부터 들고 가슴을 앞으로 내밀면서 접영 스트로크 물잡기를 시작하는 것이 핵심이었다. 만약 길게 접영을 한다면 머리를 늦게 들어 올려야 할 것이고, 빠른 접 영을 하고자 한다면 입수킥 이후 바로 머리를 들어 올려 상체가 빨 리 수면 위로 올라오게 해야 한다.

이 부분을 알아차리고 난 이후 접영은 생각보다 실력이 빠르게 향상하는 것을 느낄 수 있었다. 강습시간에 앞뒤 회원들이 접영 실 력이 많이 늘었다는 이야기를 해주면 나도 모르게 어깨가 '으쓱' 올 라가는 기분이 들었으니까 말이다.

수영은 물에서 하는 운동이다. 그래서 누구에게나 시작은 공평한 운동인 것 같다. 무슨 말인고 하니, 달리기를 잘 하거나 산을 잘 오르는 사람은 심폐기능이 좋을 것이다. 하지만 심폐기능이 좋다고 처음부터 수영을 잘 하는 것은 아니다. 나중에 숙달이 되면 운동신경이 좋은 사람은 더 잘 할 수도 있겠지만 그 시작점에 있어서는 누구에게나 공평한 것이 수영인 것 같다는 말이다. 즉, 물속이라는 새로운 환경이 이런 공평함을 만들어주는 것 같다.

그렇기 때문에 처음부터 '나는 운동신경이 안 좋아서, 나는 원래 운동을 못 해서'와 같이 원래 잘 못한다는 선입견을 가질 필요가 없다. 이것은 실제 강습시간에도 알 수 있는데, 수영이 수영복만 입어야 하는 운동이다 보니 누가 봐도 운동 좀 했을 것 같은 포스의 사람들이 있다. 하지만 이 사람들이 수영을 다 잘 하는 것은 절대 아니다. 누가 봐도 운동하고는 거리가 멀 것 같아 보이는 사람이 의외로 수영장에서는 물 만난 물개 마냥 날고 기는 모습을 보일 수도 있다.

앞에서도 이야기 했지만 할머니, 할아버지도 하는 운동이며 유치원생부터 초등학생들도 하는 운동이 수영이다. 그리고 물이라는 환경은 누구에게나 낯선 환경이다. 각자가 어떤 선입견을 가지고 있는지 또는 어떤 생각을 가지고 수영에 임하느냐에 따라 결과는 다양하게 나타날 수 있다.

앞에서 수영 영법에 대한 여러 개인
적인 경험들을 이야기 했지만 결론적
으로 수영은 물속에서 직면하는 저항
과의 싸움이다. 저항을 어떻게 최소화
하느냐에 따라 적은 힘으로 더 멀리,
그리고 더 오래 수영을 할 수 있는지
가 결정된다. 그래서 나의 수영을 구

성하고 있는 몸동작 하나하나에 신경을 쓸 필요가 있다.

예를 들어, 자유형을 하더라도 손목의 각도, 손바닥의 위치, 심
지어는 손가락을 벌리느냐 모으느냐 등과 같은 작은 동작들이 저
항을 만들어 내느냐 또는 저항을 최소화할 수 있느냐에 영향을
미친다. 그리고 이런 디테일들은 수영을 매력적으로 만드는 요인
이기도 하다. 각 영법의 특징을 이해하고 거기에 맞춰 내 몸의 움
직임 하나하나에 신경을 쓴다면 어디에서 저항을 만들어 내고 있
는지 확인할 수 있을 것이다.

요즘은 우리 가족뿐만 아니라 동생네 가족도 수영에 빠져서 열심
히 수영장을 다니고 있다. 하루는 동생과 카톡을 주고받다가 '일단

은 자세 교정이 우선이라 자세 교정에만 집중하고 있다'는 이야기를 들은 적이 있다. 저항을 넘어서는 방법에 있어서 자세의 교정도 중요하지만 체력적인 부분도 상당히 영향이 있다는 점을 간과하지 않았으면 한다.

예를 들어, 어떤 자세를 교정하는데 25미터를 가는 동안은 전혀 문제가 나타나지 않을 수 있다. 그런데 문제는 수영을 하는 거리가 늘어날수록 몸의 자세가 무너진다는데 있다. 결국 어느 정도 이상의 거리를 할 수 있는 체력이 있어야 무엇이 문제인지도 확인할 수 있다. 그래서 개인적인 경험으로는 기본적으로 영법을 익혔으면 그 다음은 일단 더 멀리, 더 오래 수영을 하려는 노력을 먼저 할 필요가 있다고 생각한다.

어느 정도의 거리를 수영하다 보면 여기서 이야기하는 저항을 비롯해 다양한 자신의 문제점들을 발견할 수 있다. 그리고 하나하나씩 개선을 해 나가는 것이다. 25미터 가서 멈추고, 50미터 가서 멈추고 해서는 별 다른 문제를 발견하지 못 할 수도 있다. 우리 아내의 경우에는 수영을 시작하고 약 1년 만에 50분 가까이 쉬지 않고 자유형을 했다. 물론 자세가 완벽한 것은 아니었지만 일단 수영을 오래 하는 요령은 먼저 깨쳤다는 말이다.

요즘 유튜브 라는 매체는 여러모로 쓸모가 많지만 수영에 있어서는 특히 그런 것 같다. 수업시간에 강사님들에게 직접 배우는 것이 가장 좋겠지만 여러 회원들과 함께 수업을 하기 때문에 일대일 강습이 쉽지는 않다. 이런 상황 속에서 유튜브를 통해 여러 수영

전문가들의 원포인트 레슨을 손쉽게 배울 수 있다는 점은 큰 장점이다. 그래서 '도대체 유튜브가 없던 시절에는 어떻게 수영을 배웠을까?'라는 생각이 들기도 한다. 사실 상상이 되지 않는다.

그러나 한 가지 알고 있어야 하는 부분은 유튜브를 본다고 모든 것이 해결되지는 않는다는 점이다. 머릿속으로 이해했다고 해서 몸이 그것을 그대로 구현해 내는 것은 아니라는 말이다. 그나마 머릿속에서 각 영법의 원리를 먼저 이해할 수 있다는 것만은 분명히 장점이다. 그러나 바로 옆에서 나의 동작을 잡아주거나 직접 봐주는 사람들의 역할, 그리고 내 스스로가 잘못된 동작을 고쳐나가고자 하는 의지와 반복적인 연습이 있어야 수영 실력은 향상이 가능할

것이다.

그리고 유튜브를 통해서 보는 수영 영상의 분량 대비 막상 수영장에서 기억나는 것은 많이 없을 수도 있다. 그 이유는 개인의 기억력 문제가 아니라 그 만큼 수영은 각 영법 마다 단계별로 챙겨야 할 사항들이 많기 때문일 것이다. 어차피 수영장에서는 다 생각이 안 나기 때문에 유튜브에서 이것저것 봤다고 해서 영법 개선에 너무 욕심을 낼 필요는 없다. 지금 자신이 생각하는 하나만 제대로 개선하자는 생각으로 유튜브를 보고 수영장에서 시도해보자. 그리고 동일한 주제에 대해서도 수영장의 강사마다, 유튜버 마다 각자의 스타일에 따라 다르게 설명하는 경우도 많으니 이것저것 보면서 따라 하기보다는 차라리 한 명의 전문가 이야기를 제대로 듣는 것이 더 나을 수도 있다는 점도 참고하시기 바란다.

「평」

평범한 수영을 넘어서자

6/ 더 높은 테크트리(tech tree)에 도전하다

○

7/ 수영의 디테일들(details)

6/ <u>더 높은 테크트리(tech tree)에 도전하다</u>

#1 오리발(fins)을 차다

한창 중급반에서 수영을 하고 있던 어느 날 강사님이

"다음 주 부터 오리발 할 거니까 하나씩 구매해서 오세요"

라는 이야기를 했다. 오리발이라고 하니 '드디어 조금 더 수준 있는 수영을 하는 것인가'라는 착각이 들기도 했다. 회원들 대부분이 처음 오리발을 구매하는 관계로 강사님이 몇몇 대표적인 오리발 브랜드를 추천해주고 이 중에서 최대한 부드러운 오리발을 사오라고 했던 기억이 난다.

취미생활을 해 봤다면 알겠지만 취미생활에서 돈을 들게 만드는 것 중에 하나가 '중복투자(초보자 때 기본 용품으로 샀지만, 조금 실력이 붙으면 다시 고급용품으로 재구매 하는 것)'이다. 이때도 이런 생각이 들어서 인터넷 쇼핑을 하다가 오리발 중에서도 기왕이면 가격대가 좀 있는 것이 더 좋을 것 같다는 생각으로 구매를 했었다. 오리발에 대해 인터넷 검색을 열심히 해 본 것도 아니었는데 이때 더 높은 가격을 주고 구매한 것은 단단한 재질의 오리발이었다.

나름 중복투자를 하지 않겠다고 단단한 재질의 오리발을 준비해서 간 첫 수업에서 바로 종아리에 '쥐(야옹야옹)'가 오는 경험을 했다. 오리발은 생각처럼 쉬운 것이 아니었다. 특히 오리발로 발차기를 할 때 발목에 느껴지는 부담은 상당했다. 게다가 오리발을 차고 있으니 수영 도중에 멈춰서 일어서는 것도 너무 어색했다(오리발을 찼을 때는 오리발에 걸리는 물의 저항 때문에 배영 하다가 일어서듯이 뒤돌아서서 일어서야 한다). 총체적 난국이었다. 그 날 다른 회원들이 구매한 오리발을 보니 대부분이 아주 부드러운 기본 오리발이었다. 결국 바로 다음 날 부드러운 기본 오리발을 다시 구매했다.

구매과정에 약간의 에피소드는 있었지만 결론적으로 오리발은 상당히 재미가 있다. 무엇보다 맨발로 할 때는 잘 안되던 영법 대부분이 쉽게 된다. 오리발 초반에는 처음 느껴보는 주체할 수 없는 속도에 몸이 적응을 못해 손발의 박자를 맞추지 못할 수도 있지만 이 부분은 이내 적응이 된다. 그리고 오리발에서 나오는 속도감은 기존에 느낄 수 없었던 물살 가르는 소리까지 느끼게 해준다. 그만큼 수영에 대한 완전히 새로운 경험을 만들어 준다.

운동적인 부분에 있어서는 오리발을 차게 되면 발목과 다리 부분에서 더 많은 저항을 느끼게 되므로 운동 효과도 있다. 하체에서 저항을 더 많이 받는 만큼 더 빨리 가는 것이니까 말이다. 그래서 오리발을 차고 수영을 하다보면 체력적으로 쉽지 않다는 것을 느끼게 될 것이다. 결국 더 빨리 더 많은 체력을 소진하느냐, 천천히 가면서 더 적은 체력을 소진하느냐의 문제이다. 자유수영을 가보면 오리발이 가능한 레인에서는 오리발을 차고 연습하는 사람이 제법 많이 보일 것이다. 각자의 이유는 다양하겠지만 한 가지 확실한 것은 오리발이 재미있다는 점은 공통의 이유가 될 것 같다.

오리발의 종류 역시 다양한데 대표적으로 숏핀 또는 롱핀으로 구분될 수 있을 것 같다. 핀의 길이가 짧을수록 맨발 느낌에 가깝고 핀의 길이가 길수록 핀의 영향이 더 커진다. 개인적으로 숏핀도 이용하고 롱핀도 이용하지만 롱핀 이라고 해서 더 여유롭게 느껴지는 것은 아니다. 자신의 운동 목적에 맞게 다양한 핀을 경험해보시기 바란다. 수영을 재미있게 만드는 요소임은 분명하니까 말이다.

#2 팔꺾기와 물잡기

수영은 남들이 봤을 때 잘 하는듯한 느낌만 줄 수 있어도 일단 성공한 운동이 될 수 있다. 그래서 수영을 잘 하는 것처럼 보이는 사람들은 확실히 뭔가 다른 느낌이 든다. 더 빨리, 그리고 더 오래 하는 것은 당연하고 물 밖에서 움직이는 팔 동작 역시 있어 보인다. 바로 '팔꺾기'이다. 중급반 정도 되면 자유형에서 팔꺾기를 배운다. '팔을 쭉 편채로 스트로크 하기도 바쁜데 무슨 팔꺾기냐'라는 이야기를 할 수도 있지만, 이것도 개인 의지와 상관없이 강사님이 진도를 나가는 내용 중 하나이다. 그리고 팔꺾기 하는 회원들을 보면 일단 수영 좀 하는 것처럼 보이는 것도 사실이다.

팔꺾기와 더불어 하는 것이 '물잡기' 이다. 팔꺾기도 실상은 폼보다는 효율적인 수영을 위한 것이지만 굳이 따지자면 있어 보이는 영향이 더 큰 것 같다는 것이 개인적인 생각이다. 그러나 팔을 아주 각지게 꺾지 않고 어느 정도만 팔을 꺾는 사람도 상당히 많이 보인다. 그런데 물잡기는 물 밑에서 이루어지는 영역이라 보이는 것보다는 완전히 수영의 효율성과 관련이 있다.

수영은 작용과 반작용의 원리가 적용되는 운동인 만큼 물을 어떻게 효율적으로 밀어내느냐에 따라 더 멀리, 그리고 더 빨리 앞으로 나아갈 수 있는지 여부가 결정된다. 그래서 최대한 효율적으로 물을 몸 뒤로 보내야 한다. 이것을 위한 과정을 보통 '물잡기'라고 부른다. 자유형, 배영, 평영, 접영, 모든 영법에는 각 영법에 맞는 물잡기가 있다. 공통적으로는 팔 상완에 각을 줌으로써 물을 조금 더 몸 쪽으로 끌어 온 다음에 최대한 힘은 적게, 그리고 물은 더 많이 몸 뒤로 밀어내려는데 목적이 있다. 팔꺾기는 자유형에만 해당되는 이야기인데 반해 물잡기는 전 영법에 공통적으로 해당되는 이야기라는 점에서도 차이가 있다. 이런 기술들을 배우다 보면 확실히 폼이 좀 나는 것 같다는 혼자만의 착각도 슬슬 생기기 시작한다.

#3 뺑뺑이가 해 보고 싶은 아저씨

수영장에서 수영을 잘 하는 사람들을 보면서 개인적으로 가장 해 보고 싶은 것 중에 하나가 '뺑뺑이'였다. 뺑뺑이란 25미터든, 50미터든 레인 길이에 상관없이 쉬지 않고 계속 수영을 하는 것을 말한다. 보통은 자유형을 하는 경우가 많다. 초보자들은 25미터 가고 멈추거나 50미터 기준으로 한 바퀴 또는 2~3바퀴 정도 돌고 나면 숨이 차서 멈추는 경우가 대다수이다. 그렇다 보니 계속 해서 수영을 하는, 즉 뺑뺑이 도는 사람들을 보면 정말 수영을 잘 하는 것 같다. 실제로도 잘 하니까 뺑뺑이를 돌 수 있을 것이다. 그래서 나도 어느 순간부터 '어떻게 해야 뺑뺑이를 할 수 있을까'에 몰입하기 시작했던 것 같다.

25미터 레인을 왕복으로 2~3바퀴 정도는 돌 수 있는 실력이 되는 시기 즈음이었다. 첫 번째 문제는 자유형 2~3바퀴만 돌면 도저히 힘이 들어서 계속 할 수가 없다는 점이다. 머릿속에 드는 생각은 '가장 힘에 붙일 때 딱 한 바퀴만 더 가보자'라고 생각하지만 막상 몸으로 실행하기란 쉽지 않다. 누군가는 정신력 문제라고 이야기 할 수도 있지만 취미로 생활 수영을 하는데 그렇게 강한 정신력이 발휘될 리 만무하지 않은가?

그래서 정신력 이야기 보다는 수영을 하는 동안의 신체 동작 하나하나를 개선하는데 조금 더 신경을 쓰게 된다. 어차피 제로섬

(zero-sum) 게임이라 생각하고 한정된 신체 자원을 조금 더 효율적으로 사용하기 위한 개선 노력이다. 불필요한 동작은 줄이고 한 번의 동작으로 최대한 멀리 가보고자 노력 하다보면 분명히 조금씩 나아지는 때가 온다. 어느 순간 왕복 5바퀴에 성공하는 때가 오니까 말이다.

'오리발을 차면 발차기에 크게 신경을 써도 되지 않으니 뺑뺑이가 조금 더 쉽지 않을까' 하는 생각에 주말 자유수영을 할 때면 오리발을 차고 연습해 보았지만 이것도 꼭 그렇지만은 않았다. 맨발이나 오리발이나 3바퀴에서 5바퀴 정도만 되면 어김없이 멈추고 싶은 강한 욕구를 못 이기고 멈추게 된다. 어떻게 해야 뺑뺑이를 성공할 수 있다고 콕 집어서 이야기 하기는 쉽지 않은데 개인적인 경험으로는 결국 연습 빈도인 것 같다. 계속 수영장을 찾아가야 하고 이런 노력의 시간을 보내다 보면 어느 순간 뺑뺑이를 돌고 있는 자신의 모습을 발견할 수 있을 것 같다.

나는 숏핀을 차고 처음으로 안 쉬고 1키로(50미터 왕복 10바퀴＝25미터 왕복 20바퀴)를 성공한 것이 수영을 시작한지 딱 1년 반이 된 시점이었다. 그 날도 어김없이 비슷한 패턴으로 자유수영을 하고 있었는데 한 가지 차이를 꼽아 보자면 '전반적인 자유형의 움직임을 ½ 속도로 늦춰보면 어떨까'하는 생각이 갑자기 들었다는 점이다. 그래서 모든 움직임을 천천히 가져가 봤는데 신기하게도 그 날 나는 처음으로 뺑뺑이에 성공했다. 정말 무제한으로 계속 돌았는데도 다른 때와 달리 호흡이 가쁘지 않았다.

이것이 누구에게나 통하는 공통적인 뺑뺑이의 성공 요인이라고 이야기 할 수는 없지만 계속 시도하다 보면 결국 성공하는 날이 올 것이라는 점이 포인트이다. 매번 3~4바퀴 돌다가 벌떡 일어나는 수영을 할 수는 없지 않은가? 주말 자유수영 레인에서 계속 뺑뺑이를 돌 때 그렇게 하지 못하는 다른 사람들이 약간은 부러워하는 눈빛으로(또는 대단하다는 눈빛으로) 바라봐 준다면 이것 또한 폼 나는 수영이 아닐까? 모두가 수영에서 자세를 중요하게 생각하는 이유가 폼 나게 수영하기 위한 것이듯 말이다.

#4 플립턴(flip turn), 왜 하는 걸까?

중급반을 넘어서 고급반에서 수영을 하다보면 어느 순간 플립턴을 연습하는 날이 온다. 플립턴 배우는 날을 오매불망 기다리는 회원이 몇 명이나 될까? 대부분은 갑자기 강사님이 하자고 해서 시작하게 될 것이다. 그 전에 배우는 사이드턴(side turn)의 경우, 배우지 않으면 레인에서 연속해서 수영을 하지 못하는 불편함이 있기 때문에 기본적으로 배워야 할 것 같다는 생각이 들것이다. 그런데 플립턴을 강습시간에 연습한다면 아마도 '이건 왜 하는 걸까?'라는 생각이 들 수 있다.

'왜 하나' 라는 것에 대한 질문에 답을 하자면 이것이 '가장 빠르고 효율적인 턴이기 때문에'라는 이야기를 해야 할 것 같다. 수영 선수들이 경기에서 일반적으로 사용하는 턴이기도 하고 일반인들 입장에서도 조금 더 폼 나는 턴이기도 하다. 플립이라는 단어 그대로 몸을 반으로 접어 공중제비 돌 듯 몸을 회전해서 발로 벽을 차고 나가는 턴이 플립턴이다.

40대 아저씨라면 그 옛날 '플립폰' 이 기억날 것이다. 요즘 젊은 사람들은 액정이 접히는 플립형 스마트폰이 더 익숙할 텐데 이것을 생각하면 간단할 것 같다. 강습시간에 플립턴을 여러 번 연습하기는 했는데 아직도 잘 되지는 않는다. 첫째 딸은 강습시간이  아니라 아빠와 '놀수(놀면서 수영하기)'로 자유수영 갔을 때 물속에서 혼자서 몇 번 도는 것 같더니 어느 순간 벽을 차고 플립턴을 하고 있었다.

처음 시도를 하면 몸이 바른 모양으로 돌아지지가 않는다. 몸이 좌우로 제멋대로 회전하기 일쑤이다. 그리고 언제 돌기 시작해야 하는지 그 타이밍을 잡기도 쉽지가 않다. 빨리 돌면 다리가 벽에 닿지 않고, 늦게 돌면 다리가 벽의 상부에 닿아 발로 벽을 차더라도 몸의 방향이 바닥 쪽으로 향해 수면 위로 올라오기가 어렵다. 무엇보다 플립턴을 연습하면서 회원들 간에 '이걸 왜 하지? 막상 자유수영할 때는 써먹기가 어려울 것 같은데'라는 이야기를 한다는 것도 문제이다. 그런데 강습시간에 옆 반인 상급반을 보면 플립턴을 섞어가며 뺑뺑이를 돌고 있다. 결국 다음 단계로 넘어 가기 위해서는 이것도 넘어야 할 하나의 단계인 것 같다. 오늘도 강습시간에 플립턴을 하게 되면 그래도 코에 물은 들어오지 않도록 노력해야겠다는 생각이 든다(플립턴은 물속에서 몸을 회전하다 보니 코를 통해 '음(코로 공기 내뿜기)'을 하지 않으면 바로 코에 물이 들어온다).

수모에 대한 이야기를 잠시 해보자. 수영장의 기본은 수영복 착용과 더불어 머리에는 머리카락을 감싸는 수모를 착용해야 한다는 것이다. 수모를 왜 착용하는지에 대해서는 누구나 알 것이다. 머리카락이 수영장에 빠지는 것을 최소화하기 위한 목적도 있지만

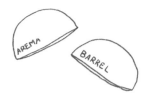

수영영법을 할 때 긴 머리가 방해되기 때문에 착용을 해야 한다. 문제는 초보자들, 즉 이제 막 수영을 시작해보고자 하는 사람들의 입장에서는 수모가 나의 본모습을 망치는(조금 어눌하게 보이게 만드는) 요소라고 생각할 수 있다는 점이다.

사실 이 부분도 어떻게 보면 수영에 대한 편견 중 하나일 수 있는데 이렇게 별도로 언급하는 이유는 의외로 이 부분이 수영을 접하는데 있어 상당한 걸림돌인 것 같다는 생각이 들기 때문이다. 가장 쉽게는 워터파크 사례를 들 수 있을 것 같다. 워터파크에 가는 주된 목적은 물놀이지만 많은 사람들이 한정된 공간에 모이기 때문에 대부분의 워터파크에서는 수모 또는 모자 등의 착용을 권고한

다. 그래서 대부분 착용하는 것은 수모가 아니라 모자이다. 원래 목적에 맞게 보다 효율적인 것은 당연히 수모일 것 같은데 왜 모자를 착용할까? 아마도 수모 쓴 모습이 '문어 같다는(?, 다른 말로 이상하게 보인다는)' 생각이 들어서 일 것 같다.

그런데 막상 수영을 시작해보면 이런 수모에 대한 생각이 180도 달라지는 경험을 하게 될 것이다. 수모는 수영복과 더불어 수영장에서 자신의 개성을 드러내는 유일무이한 수단이기 때문이다. 수영복과 수모의 깔맞춤은 기본이고, 계절별로 수영장 회원들의 수모 디자인과 색상이 바뀌는가 하면, 나름 인기 있는 수영브랜드에서는 수영복만 품절인 것이 아니라 수모도 함께 품절이다. 그래서 수영장에서는 '문어'가 아니라 '멋을 부리는' 하나의 도구가 수모이다.

수영장은 수영이라는 맥락이 있는 공간이다. 그래서 이 공간에는 모두가 수모를 쓰고 있다. 머리카락이 수모 속에 감춰짐으로써 다르게 보이는 것이 아니라 수모가 곧 자연스러운 머리카락 역할을 하는 곳이 수영장이다. 그러므로 더 예쁘고, 더 멋지고, 더 특이한 수모에 도전해보자. 수영장에 가는 재미가 늘어갈 뿐 아니라 인터넷 쇼핑도 함께 늘어날 것이다.

접·배·평·자, 즉 IM(Individual melody)을 해내기란 쉬운 일이 아니다. 중급반 이상 가면 강습도중에 접·배·평·자를 한 두 바퀴씩 돌 때가 많은데 분명한 것은 25미터 기준으로 한 가지 영법을 2바퀴(100m) 이상 도는 것보다 접·배·평·자로 2바퀴(같은 100m) 도는 것이 훨씬 힘들게 느껴진다는 점이다.

　기본적으로 모든 영법이 무난하게 잘 되어야 가능한 것이 접·배·평·자이기 때문일 것이다. 나는 접·배·평·자를 할 때마다 중간에 평영 단계에서 엉망이 된다. 첫째 딸이 수영하는 모습을 봤을 때는 접·배·평·자가 정말 부드럽게 잘 연결된다. 아내는 나랑 비슷한 것 같다. 한 번은 부부가 같이 새벽 수영을 다닌 적이 있는데 강사님이 접·배·평·자를 시키면 둘이 같이 버벅거리던 기억이 난다. 그나마 다행이라고 여길만한 것은 함께 강습을 받는 회원들 대부분이 비슷한 수준이라는 점일 것 같다.

　막상 접·배·평·자 이야기를 하니 왜 이 순서인지는 정확히 잘 모르겠다. 몇 명의 강사님들을 거쳤지만 이 순서에 대한 이야기는 아무도 해주지 않은 것 같다. 그리고 강습시간에는 여러 명이서 함께 하다 보니 맞은편 상대방과의 부딪힘 문제 때문에 접영을 일단 먼저 하고 나머지 배·평·자를 순서로 하게 되니 제대로 된 접·배·평·자가 아니기도 하다.

어쨌든 접·배·평·자는 쉽지 않다. 영법에 대한 기술적인 문제도 있지만 막상 4가지 영법을 조합하다 보면 체력적인 문제도 함께 부각된다. 결국 다 할 수 있어야 한다는 의미인데 초보자들 입장에서는 '왜 꼭 다해야 하느냐'에 대한 질문으로 도돌이표를 찍을 수도 있다. 그래서 접·배·평·자가 힘들다는 것이다.

일상 곳곳에 마음의 영향을 안 받
는 일이 없겠지만 운동은 특히 그런
것 같다. 당연히 수영도 기술적인 부
분, 체력적인 부분 이외에 마음의 영
향을 많이 받는 운동이다. 개인적으
로 전공이 심리학이라 그런지 수영
을 하면서 심리적인 영향을 무시할
수 없다고 느끼는 몇 몇 사례들이 있다.

　일례로 강습반에서 제일 앞에 서는 '1번의 위치'에 대해 생각해
보자. 여러분은 1번 위치에서 강습을 받았던 적이 있는가? 사실 1
번은 뒤쪽에 서는 사람들에 비해 운동량도 더 많지만 더 빨리 가
야할 것 같은 심리적 압박감도 있다. 그래서 강사님도 기본적으로
실력이 더 나은 사람들을 1번 자리에 세운다. 문제는 1번이 오지
않은 날 2번, 3번을 하던 사람이 1번 자리에 있으면 상당한 심적
부담감을 느낀다는 점이다.

　중간이나 뒤쪽에 서 있는 사람들은 어떨까? 이 사람들도 비슷하
다. 영법이 제대로 되지 않아서 속도가 나지 않으면 더 뒤에서 따

라오는 사람들에게 따라잡힐 것 같은 심적 부담감이 있다(보통은 발바닥을 터치하게 되는). 그나마 자유수영은 좀 여유롭지만 강습시간의 순번에는 이런 심리적 영향들이 있다.

　그리고 수영 강습에서 강사님들이 매번 하던 것만 시키지는 않는다. 각 영법에서 새로운 기술들이 등장할 때마다 '과연 내가 할 수 있을까' 하는 걱정스러운 마음도 역시나 수영에 영향을 미친다. 그리고 이런 마음가짐으로 새로운 기술을 시도하다 보면 잘 되던 것도 뒤죽박죽되는 경험을 할 수 있다. 하루는 강사님께서,

"여러분, 자신감을 가지고 하세요~ 우리는 고급반입니다!"

라는 이야기를 했던 적이 있다. 그렇다. 마음의 영향을 받는 것은 분명하지만 한 편으로는 조금 더 자신감을 가지고 수영에 임할 필요가 있다. 앞뒤에 있는 사람, 또는 다른 사람 눈치 보면서 괜히 움츠려 들 필요까지는 없다. 우리는 수영장에 나의 운동을 하러 왔으니까 말이다!!

7/ 수영의 디테일들(details)

하루는 우리 가족이 다니는 수영장에 평범한 가족이 놀러온 적이 있다. 그 가족은 부모부터 아이까지 모두가 워터파크 복장을 하고 왔었다. 우리 가족이 수영을 시작했을 때도 그랬지만 수영장에 대한 구체적인 정보 없이 물놀이를 생각하고 방문했던 것 같다. 이미 샤워를 다 하고 수영장에 들어선 상태라 안전요원이 굳이 돌려보내지는 않아서 다행히 물놀이를 하고 갔던 것으로 기억난다. 그래서 이 장에서는 초보자들이라면 수영장에서 확인해야 할, 또는 챙겨봐야 할 내용들을 정리를 해보고자 한다.

#1 위생과 건강

책의 서두에서 이야기 했지만 수영장은 무엇보다 위생이 중요시 되는 공간이다. 그래서 위생과 건강은 수영장에서 절대 빠질 수 없는 주제이다. 아래 내용들을 참고해보자!

☑ 논란의 중심에 있는 제대로 안 씻는 회원들

☞ 수영장에서, 그리고 인터넷 상의 수영 카페에 가장 자주 등
장하는 문제는 샤워에 대한 것이다. 수영장 마다 입구에는
몸에 거품 샤워를 하고 수영장에 입수하라는 안내 문구가
부착되어 있다(이 문구가 없는 수영장은 없을 것이다). 앞에서도
이 부분에 대해 언급을 했지만 워낙 기본적인 사항임에도
이것을 지키지 않는 회원들이 여전히 있다는 점에서 다시
한 번 강조해도 나쁘지 않을 것 같다. 설사 집에서 씻고 왔
더라도 다시 씻고 수영장에 입수를 해야 한다. 안 보고 있
을 것 같지만 옆에서 보고 있다. 때로는 회원 간의 언쟁에
휘말릴 수도 있다.

☑ 피부질환(무좀, 습진, 두드러기?)

☞ 이 부분은 샤워보다 더 민감할 수도 있는데 바로 무좀, 습진
등과 같은 피부질환 문제이다. 수영장은 정수시스템을 갖추고
있지만 받아놓은 물 안에서 운동을 하는 장소이다 보니 이런
부분에 민감할 수밖에 없다. 일단 무좀이다. 특히, 남성들 중
에는 발에 무좀을 가지고 있는 사람들이 생각보다 많은데(보
이지 않는 곳이다 보니 개인적으로 신경을 안 쓰고 있을 수도 있
고, 또는 무좀인지 잘 모르고 있는 경우도 있을 것이다), 수영장은
탈의실이나 샤워장에 바닥 매트 또는 수건을 깔아놓고 있는
경우가 많기 때문에 공용으로 밟고 지나가는 부분을 통해 무
좀이 옮을 수 있다.

무좀이 있는 사람은 반드시 병원 진료를 통해 치료 후 수영장에 입수하기를 당부 드린다. 무좀이 옮는 것을 예방하기 위해 샤워장이나 탈의실에서 개인 슬리퍼를 착용하는 사람도 가끔 볼 수 있는데 대부분의 수영장에서는 개인 슬리퍼 착용을 금지하고 있는 경우가 많다. 그렇기 때문에 피부질환은 타인을 위해서 본인이 철저히 챙겨볼 필요가 있다. 무좀이 가장 대표적인 피부질환 중 하나라 언급했는데, 다른 피부질환 역시 마찬가지이다.

그리고 수영을 하다보면 몸에 두드러기가 올라오는 경우가 있다. 이것은 남에게 옮기는 피부질환까지는 아니지만 물이라는 환경에서 운동을 하다 보면 신체적인 부적응 때문에 발생할 수 있다. 해외여행 도중 물이 안 맞아서 갑자기 두드러기가 올라오는 것과 비슷한 것 같다. 보통 이런 두드러기는 피부과에서 '항히스타민제'를 처방 받으면 빨리 진정이 되니 참고하시기 바란다. 단, 항히스타민제의 경우 내성 문제가 있을 수 있으므로 전문 의사와 상담을 받아 치료를 해야 할 것이다[6].

☑ 제모, 꼭 해야 할까?

☞ 우리 몸 곳곳에는 털이 있다. 다 필요해서 있는 것이겠지만

---

6) (참고) 여기서 무좀이나 두드러기에 관한 내용은 저자 개인 의견이므로 전문적인 부분은 의사 등의 전문가와의 상담과 진료를 통해 해결해야 한다.

요즘 시대에 털에 대한 시선이 그렇게 곱지 않은 것도 사실이다. 수영장은 수영복으로 가린 곳 이외에는 신체를 노출하는 장소이다 보니 털에 대한 관심도 '의도치 않게' 많아질 수밖에 없는 장소이다. 남녀 모두에게 해당될 수 있는 주제이지만 여성들은 대부분 제모를 하기 때문에 주로 남성들에게 해당되는 이야기일 수도 있다.

남성들은 둘 중에 하나이다. 털이 많은 사람 또는 털이 많이 없는 사람. 그리고 털이 많은 사람들 중에는 다시 두 분류로 나뉠 것 같은데 털에 신경이 쓰이는 사람 또는 아예 관심이 없는 사람. 사실 수영장에 들어가면 밝은 조명과 물 때문에 털이 더 부각되어 보이기는 하는데 앞에서도 이야기 했지만 정작 물속에서 다른 사람의 털에 관심을 가질 여유는 없다. 그럼에도 불구하고 털에 신경이 쓰인다면 개인적인 의견으로는 제모를 하는 것도 나쁘지 않을 것 같다. 요즘은 워낙 제모가 일반화 되어 있는 시대이지 않은가? 더 깔끔해 보인다는 정도의 관점에서 접근하면 어떨까 한다.

그리고 제모하지 않았다고 해서 위생상 문제가 있다는 시선으로 쳐다볼 필요도 없다. 팔, 다리, 배 부위가 아니라도 우리 몸 곳곳에는 털이 얼마나 많은가? 심지어 눈썹은 괜찮은가? 어떤 사람은 머리카락보다 더 긴 수염을 달고 수영장에 오기도 한다(이런 수염은 수모와 비슷한 어떤 조치를 안 해도 되는가?). 깨끗하게 씻는 것이 중요하지 털이 있고 없고 여부는 그렇게 중요한 요인이 아니라는 의미이다. 그리고 수영장은 매일 정화시스템이 가동되고 있고 하루 운영을 마치고 종료할 때 마다 정화 기계를 이용해서 물 속 청소를 진행한다.

참고로 요즘에는 가정용 레이저 제모기가 시중에 많이 있어서 병원을 가지 않더라도 집에서 편하게 할 수 있는 방법도 있다. 제모를 해라는 의미로 덧붙이는 말은 아닌데, 개인적으로는 털이 많은 편이라 가정용 레이저 제모기를 사용해보니 생각보다 편해서 하는 이야기이다.

#2 패션쇼가 벌어지는 곳, 수영장

초보자들은 단조로운 수영복을 선택한다. 그럴 수밖에 없는 것이 아직은 수영복의 다양한 스타일에 대해 전혀 아는 것이 없기 때문이다. 처음 수영을 시작할 때만 해도 옷을 벗고 하는 운동이라는 선입견 때문에 과감한 수영복을 입기란 거의 불가능하다. 그래서 검은색 계열의 수모와 수영복을 선택하는 경우가 일반적이다. 절대 튀지 않는 무난한 수영복 말이다. 보통 이런 초보자들의 수영복을 '해녀복'이라고 부른다.

그러나 이것도 잠시이다. 수영장은 모두가 수영복을 입기 때문에 수영복이 곧 일상복이자, 나만의 운동 패션을 뽐낼 수 있는 수단이 된다. 처음에는 영법을 배우느라 정신이 없기 때문에 주변을 돌아볼 여유가 없지만 한, 두 달 정도만 열심히 수영장을 다녀도

해녀복을 입은 사람들과 그렇지 않은 사람들로 구분된다는 것을 알 수 있을 것이다.

색상이 다채로운 수영복을 입을수록, 그리고 더 짧고 과감한 수영복을 입을수록 고수의 느낌이 난다. 검고 어두운 색깔일수록 그리고 몸을 꽁꽁 싸맬수록 초보자의 느낌이 나는 것은 어쩔 수 없다. 물론 각자의 개성과 취향에 따라 어떤 수영복을 입을지에 대한 선택은 자유이다. 그리고 수영복 디자인은 운동 기능성과도 연관이 있을 것이다. 단지, 수영복의 재질, 색상, 기능성에 따라 굉장히 다양한 종류가 있다는 점은 참고할만하다. 확실한 것은 시간이 갈수록 다양한 수영복에 도전해 보고 싶은 마음이 든다는 것이다. 그래서 의외로 수영장은 패션쇼가 벌어지는 장소이기도 하다. 물속에서 수영할 때 더 예쁘게 보이고 싶은 것, 이것이 수영인들의 공통적인 마음이니까 말이다.

#3 작지만 챙겨봐야 할 것들

☑ 레인 양끝 벽 가운데에는 서 있으면 안되요

☞ 초보자들이 잘 몰라서 또는 알고는 있지만 초보자라서 잠시 잊어버리고 자주 하는 실수 중에 하나가 레인 양끝 벽 가운데 서있는 것이다. 레인 양끝 벽의 가운데 위치는 수영을 하는 회원들이 턴을 하는 위치이기 때문에 가운데 서 있으면

따가운 눈총을 받기 십상이다. 일단 레인에 입수하고 바로 수영을 시작하는 것이 아니라면 레인 좌우에 서 있고 가운데는 무조건 비워두자!!

☑ 때수건을 챙겨가도 되나요?

☞ 수영장에 가면 샤워 2회는 기본이다. 그래서 그런지 의외로 샤워장에 때수건을 가지고 다니는 사람들이 제법 있다. 정말 때(각질 등)를 미는 사람도 있겠지만 (디테일이긴 하지만)발뒤꿈치 같은 위치에 있는 피부 노폐물을 미리 제거해 주는 것이 도움이 된다. 때가 없는 사람들이야 상관없는 이야기이지만, 단순히 샤워로 해결되지 않는 피부 노폐물은 미리 적극적으로 제거해주는 것도 괜찮다는 의미이다. 기본적으로 수영장 수질 관리에도 도움이 되지만 강습 도중 강사님이 발목을 잡았는데 때가 밀려 나온다면 이것 또한 난감한 일이지 않은가!!! 그러나 가뜩이나 바쁜 아침시간대 샤워장에서 때를 밀고 있는 것은 민폐다. 눈치껏 할 필요가 있다.

☑ 자유수영도 늦게 가면 입장을 못 할 수 있어요

☞ 평일이든 주말이든 자유수영에 무조건 입장이 가능하다고 생각하면 오산이다. 수영장 마다 자유수영 입장이 가능한 시간 제한, 심지어 인원제한이 있는 경우도 있다. 특히, 여름에는 날씨 때문에 수영장을 찾는 사람이 많아 순식간에 인원제한

에 걸리는 경우도 있다. 그리고 수영장 마다 자유수영이 가능한 시간이 다르기 때문에 미리 시간을 확인하는 것은 기본이다.

☑ 때로는 맞거나(때리거나) 할퀼 수도 있어요

☞ 맞을 수도 있고 할퀼 수도 있다는 게 무슨 말인가 할 수 있는데, 실제 수영장에서 벌어지는 일이다. 주로 맞게 되는 것은 옆 레인의 사람이 평영 발차기를 하는데 그 사람의 발에 걸어차이는(또는 내가 걸어차거나) 경우이고, 할퀴게 되는 것은 롤링을 하며 손으로 스트로크를 하는 과정에서 옆 사람의 신체를 손톱 등으로 할퀴게 되는 경우이다. 물론 내가 가해자가 될 수도 있고 또는 피해자가 될 수도 있다. 가해자, 피해자라는 용어를 사용하니 무슨 심각한 일이 벌어지는 것은 아닌가 하는 오해를 살 수도 있을 것 같은데 그런 것은 아니다.

이런 일이 벌어지면 대부분은 죄송하다는 목례를 하고 가볍게 넘어가는 경우가 많다. 그러나 때로는 제대로 된 사과를 하지 않고 대충 넘어가려다가(초보자들은 몰라서 그럴 수도 있다) 상대방과 언성을 높이게 되는 일이 발생할 수도 있으니 상대방의 기분을 언짢게 만드는 일이 없도록 서로 조심하며 수영을 즐길 필요가 있다. 그리고 실제로 조심해야 한다. 남성과 여성이 섞여서 함께 하는 운동인 만큼 여성들의 경우에는 남성들에게 걸어차이면 그 여파가 상당할 수도 있기 때문이다. 나이 드신 분들이 있다면 더욱 조심해야 한다.

☑ 명절에는 사설 수영장으로 가세요(대다수의 수영장들이 명절에는 휴관)

☞ 한창 수영에 빠져 살다 보면 일 년 중 유일하게 수영장을 갈 수 없는 시기가 있는데 바로 구정과 추석 연휴 기간이다. 이때는 전국 대다수의 국공립 수영장은 휴관에 들어가기 때문에 어쩔 수 없이 사설 수영장을 이용해야 한다. 사설 수영장은 비용이 상대적으로 비싸다. 하지만 수영에 한창 빠져 있다면 길고 긴 명절 연휴 때 수영을 못 하면 온 몸이 찌뿌둥한 기분을 느끼게 될 것이다. 명절 스트레스도 풀 겸 동네의 사설 수영장은 어떻게 생겼는지도 구경할 겸 겸사겸사 방문해서 수영을 하는 것도 나쁘지 않다. 그리고 사설수영장은 사우나(목욕탕)까지 함께 있는 경우도 있으니 '푹~' 쉬러 간다는 생각으로 다녀온다면 좋은 경험이 될 수 있다.

☑ 아이들과 함께 수영장에 갈 때 주의할 점

☞ 엄마와 아빠가 수영을 즐기다 보면 아이들과 함께 수영장에 가는 경우가 많다. 그리고 부모가 수영을 즐기지 않더라도 여름 같은 계절이면 무더위를 식히러 아이들과 함께 수영장을 찾는 경우도 제법 있다. 아이들이 초등학교 고학년 정도 된다면 아이들만 수영장에 보내는 경우도 있을 수 있다. 이렇게 아이들과 함께 수영장을 찾는다는 것은 매우 즐거운 일이지만 한 편으로는 여러 사람들이 함께 이용하는 장소인

만큼 보호자로써 챙겨볼 사항도 있다.

수영장은 워터파크가 아니기 때문에 어린이용 레인에서 과도한 장난을 한다거나, 킥판이나 풀부이를 던지고 노는 행위, 또는 고함을 지르는 등의 행위는 하지 않도록 주의를 해야한다. 특히 유아처럼 아이가 어릴 경우에는 잠시도 부모가 눈을 떼는 일이 없도록 철저히 돌볼 필요가 있다. 수영장마다 안전요원이 있기는 하지만 아이의 안전은 부모가 기본적으로 책임질 수 있어야 한다는 의미이다. 수영장은 물과 함께 하는 장소이기 때문에 만약의 사고에도 철저히 대비할 필요가 있다.

☑ 반창고 등은 미리 제거하시는 것이 좋아요

☞ 수영장을 가보면 수영장 바닥에 반창고 등이 보이는 경우가 있다. 때로는 여성들의 손톱장식이 보이기도 한다. 이런 부분은 개인이 사전에 제거하고 수영을 시작하거나 또는 방수처리를 잘 해서 물속에서 떨어지는 일이 없도록 관리하는 것이 좋다. 미관상으로도 위생상으로도 좋지 않기 때문이다.

✎ 수영 초보자들이
알면 좋은 팁tip

✓ 수영용품, 한 번 참고해보세요

　　여기서는 수영 영법들의 디테일만큼이나 다양한 수영용품들에 대해 내용이다. 모든 용품을 다 정리할 수는 없지만 그 동안 사용해봤던 것들을 중심으로 초보자들이 참고할만한 내용을 정리했다[7].

☑ 도수수경

☞ 주변에는 시력 나쁜 사람들이 상당히 많다. 나도 시력이 나빠서 처음 수영을 시작했을 때, 강사님이 큰 목소리로 지시하지 않고 손짓으로 지시를 하면 무슨 의미인지 알아듣지 못한 경우가 대부분이었다. 물속에서

는 바닥만 보고 있으니 상관이 없는데, 일단 물 위에서는 눈

---

7) (참고) 여기서 언급하는 브랜드에 대한 생각은 순수한 개인적인 의견임을 미리 밝힌다.

이 보여야 했다. 그래서 알아보니 '도수수경'이라는 것이 있었다. 시력이 나쁜 사람들에게는 강추하는 아이템이다. '피닉스, 스완스' 등의 다양한 브랜드가 있는데 개인적인 취향에서 따라 선택해 보시기 바란다.

한 가지 참고사항은 도수수경은 디자인이 예쁘지 않은 경우가 많다. 개인적으로는 스완스 브랜드가 그나마 괜찮은 것 같다. 요즘 엔화 환율 덕분에 일본 아마존 직구도 가격이 괜찮아서 추천할 만하다. 대신 도수를 선택할 때는 본인의 현재 시력보다는 조금 낮은 도수를 선택하는 것을 추천한다. 이 부분은 처음 안경점에서 도수 수경을 구매할 때 안경전문가가 해준 말인데 물속에서 평상시와 비슷한 도수의 도수수경을 착용하다 보면 어지러움을 느낄 수 있다고 한다. 결론적으로 한 단계 낮은 도수의 도수수경을 이용 중인데 지금까지 큰 무리 없이, 그리고 답답함 없이 수영장에서 잘 보면서 수영을 하고 있다.

☑ 노패킹 수경 vs 패킹 수경

☞ 수영장에서 많이 사용하는 수경은 크게 2종류가 있는 것 같다. 고무 패킹이 있는 수경과 고무 패킹이 없는(노패킹) 수경이다. 처음 초보자들이 고르는 수경은 거의 100% 고무패킹이 있는 수경일 것이다. 이때 초보자들은 고무패킹이 없는 수경이 있다는 사실 조차 모를 것이기 때문이다. 수영장을 다니다 보면 뭔가 달라 보이는, 그리고 슬림(slim)해 보이는 수경

을 쓴 사람들이 눈에 띄는데 아마 노패킹 수경을 쓴 사람들일 가능성이 높다.

　이것은 개인마다 호불호가 나뉘기 때문에 본인에게 맞는 수경을 선택하면 된다. 고무패킹 수경은 보통 '팬더'라고 불리는 눈 주변에 수경자국이 남을 가능성이 크고, 노패킹 수경은 이런 부분에서 상대적으로 조금은 자유롭다. 대신 노패킹 수경은 고무패킹이 없는 만큼 딱딱한 느낌이 있고 얼굴 형태에 따라 안 맞는 경우도 있어 선호하지 않는 사람도 있다. 노패킹 수경이면 물이 새어 들어오지 않을까 하는 걱정을 할 것 같은데 이 부분은 걱정하지 않아도 된다. 물이 들어온다면 수경으로서 역할을 할 수 없으니까 말이다. 개인적으로는 슬림해 보이는 노패킹 수경이 마음에 드는데 앞에서 말했듯 개인 선호에 따라 선택하면 된다. 수경의 종류, 디자인, 모양은 정말 다양하니까 말이다.

☑ 습식타월은 꼭 필요할까?

☞ 샤워장에서 강사님들이 주로 사용하고 있는 타월은 일반적인 타월과 무엇인가 다르다는 것을 발견할 수 있을 것이다. 아마도 습식타월일 것이다. 습식타월은 이름 그대로 젖은 채로 사용하는 타월인데 보통 수영강사들

같은 경우 계속 물에 들어갔다 나왔다 해야 하기 때문에 건식타월을 여러장 쓰는 것이 비효율적이기 때문에 습식타월을 사용하는 것 같다.

일단 습식타월은 젖은 채로 사용하기 때문에 몸에 물기를 제거하고 타월을 짜면 물기가 금방 타월에서 제거되는 장점이 있다. 그러나 한 편으로는 계속 젖은 채로 보관하게 되면 곰팡이와 같은 위생상의 문제가 발생할 수도 있기 때문에 적절히 세척을 하는 등 관리에 신경을 쓸 필요가 있다. 멀리 여행을 가거나 할 때는 여러장의 건식타월을 챙겨가는 것에 비해 습식타월 한 장 챙겨가는 것이 짐도 줄이고 편리할 수 있으니 참고해 보시기 바란다.

☑ 심봉사 눈 뜨게 해준다는 김서림 방지액(안티포그액)

☞ 수영을 막 시작한 초보자들을 보면 강사님이 설명할 때나 25미터 또는 50미터 정도 가고 난 다음 잠시 쉬는 시간마다 수경을 물에 담궜다 뺐다 하는 모습을 쉽게 볼 수 있다. 수경 내부에 김이 서리기 때문이다. 처음 수경을 사면 수경내부에 김서림 방지(안티포그) 처리가 되어 있어서 당분간은 김이 서리지 않겠지만 안티포그 기능이 영원한 것은 아니다. 그렇기 때문에 시간이 지나면 수경에 김이 서려 앞이 잘 안보이는 봉사 신세가 된다. 그래서 김서림 방지를 위한 안티포그액을 수경에 정기적으로 발라주는 것이 좋다. 이 역시 다양한 브랜드의 제품들이 있는데 보통은 스틱모양의 안티포그액, 또는

스프레이형의 안티포그액이 있는 것 같다.

개인적으로는 인터넷 후기에
보면 '심봉사 눈 뜨게 해주는'
기분을 느낄 수 있다고 하는
'뷰오케이' 브랜드의 스프레이
안티포그액을 추천한다. 스틱형
은 수경에 발라보면 뻑뻑한 느
낌의 액제인데 이것은 바르고

안티포그 액

난 다음에 효과는 있지만 정기적으로 수경세척을 해주지 않
으면 수경내부 가장자리에 안티포그액이 점점 뭉쳐지는 것을
발견할 수도 있다. 그리고 효과 면에서 뷰오케이 제품이 한
번 뿌리면 일주일 정도는 무난하게 사용이 가능해서 더 편리
한 것 같다.

☑ 수경과 스노클도 관리가 필요하다

☞ 김서림 방지액과 더불어 수경도 지속적인 관리가 필요하다.
즉, 수경도 정기적으로 세척을 해야 한다. 백태 현상이라 해
서 물속에서 수영만 하는데도 수경에 하얀색 이물질이 발생
하는 것을 알 수 있다. 그래서 일주일에 1회 정도는 정기적
으로 부드러운 천이나 스폰지 등을 이용해서 세척을 해주는
것이 좋다. 그러면 언제나 새것 같은 깨끗한 수경을 이용할
수 있을 것이다.

스노클 역시 마찬가지이다. 보통 스노클은 호흡에 신경 쓰

지 않고 자세 교정을 하기 위한 목적으로 많이 사용한다. 스노클 역시 입에 물고 사용을 하는 것이다 보니 주기적으로 세척을 해 주는 것이 위생관리 차원에서 좋다.

☑ 은근히 잘 늘어나는 수영복

☞ 수영복을 한 번 사면 계속 입을 수 있을까? 상식적인 이야기일 수도 있지만 수영복도 입다보면 헤지고 늘어난다. 특히 오래 입어서 헤지는 것보다 늘어나는 것이 문제이다. 수영복 자체가 신축성 있는 소재이다 보니 입다 보면 자연히 늘어나게 된다. 그리고 수영복이 늘어나게 되면 수영을 할 때 수영복과 신체 사이에 물이 들어오는 것처럼 물의 저항을 받는 느낌이 든다. 그래서 수영복이 늘어난 기분이 든다면 적절한 시점에 교체를 해주는 것이 좋다. 단벌 수영복 보다는 여벌의 수영복을 사서 돌려 입는 것도 좋은 방법이다(수영을 하다보면 자연히 수영복과 수모에 관심이 생기게 마련이라 여벌의 수영복을 구매하게 될 것이다).

수영복 중에는 '탄탄이'라고 불리는 재질의 수영복들이 있는데 이것이 주로 이중으로 천이 구성되어 있어 쉽게 늘어나지 않는 소재의 수영복이니 참고해 보시기 바란다. 그리고 수영복 브랜드 마다, 그리고 재질에 따라 수영복이 잘 늘어나는 것도 있고 그렇지 않은 것도 있고 하니 여러 브랜드를 이용해보고 본인에게 맞는 것을 고르기를 추천한다.

☑ 오리발도 휘어진다

☞ 오리발을 이용한 후에 집에 와서 발이 들어가는 부분을 위로 해서 그대로 벽에 세워서 보관 하는 사람들이 있을 수 있다 (실제 우리 아내가 그렇게 했다). 이렇게 보관을 하면 오리발에 따라 차이는 있을 수 있지만 오리발이 휘어지는 경우가 있다. 그래서 수영을 마치고 간단히 물에 헹군 뒤에는 오리발에 무리가 가지 않도록 보관용 가방에 넣어서 원래 모양대로 보관 하는 것이 좋다. 다만, 오리발이 휘어졌다 해도 휘어진 반대 방향으로 다시 휘어주면(일부러 휘어줘도 되고, 무거운 물건을 올려놔도 괜찮은 것 같다) 정상적으로 펴지기도 하니 참고하시기 바란다.

☑ 또 다른 패션 소품, 수영가방

☞ 초보자들이 생각하기에 '아니, 수영가방도 따로 있어?' 라는 생각을 할 수도 있을 것 같다. 나열하고 보니 수영 관련 용품이 많기는 한데 어쨌든 수영장에 가는데 비닐 주머니에 대충 용품을 챙겨서 오는 사람들보다는 각양각색의 수영가방에 개인용품들을 챙겨오는 사람들이 대다수이니 이 부분도 언급을 하고자 한다. 그 동안 수영장을 다니면서 관찰을 해 본 결과, 크게 3분류인 것 같다. 온갖 용품을 다 담아서 오는 사람! 주로 여성일 가능성이 크고 수영가방도 커다란 플라스틱 바구니일 가능성이 크다. 간단히 기본구성 중심으로 담아오는 사

람! 주로 남성(물론 여성일 수도 있다)들은 이렇게 챙겨오는 것 같다. 주로 메쉬 재질의 가방이나 작은 플라스틱 바구니도 많이 사용하는 것 같다. 그리고 어린이들은 어깨에 크로스로 맬 수 있는 방수재질의 크로스백 스타일의 가방을 많이 사용하는 것 같다. 아무래도 학교 갔다가 수영장에 바로 가는 등 이동이 않다면 이런 가방이 편할 수 있다.

수영가방은 개인의 취향에 따라 준비를 하면 되겠지만, 이 부분도 간단한 수영소품이자 동시에 하나의 패션이 되기도 한다. 그래서 수영복 브랜드에는 수영 가방도 함께 판매를 하는 경우가 많다.

☑ 물속에서 노래를 들을 수 있는 이어폰

☞ 수영장에서 귀 쪽에 전자제품 같은 것을 착용하고 있는 사람들이 눈에 띄는데, 이것은 물속에서 착용할 수 있는 mp3 이어폰이다. 몇 몇 브랜드(sony, shokz 등)가 있는데, 주로 많이 착용하는 것이 'shokz(open swim)'인 것 같다. 일반적인 이어폰도 방수기능이 있으면 물속에서 착용할 수 있는 것 아닌가 하는 생각을 할 수도 있는데, 현재 대부분의 전자기기들은 물속에서 블루투스 기능이 되지 않기 때문에 스마트폰과 연결해서 노래를 듣는 것은 불가능한 것 같다. 그래서 수중에서는 mp3를 저장해서 들을 수 있는 방수 전자기기를 이용해서 수영을 하면서 음악을 듣는 것이다.

수영을 할 때 음악을 듣는 이유는 간단한데 지겨움을 덜기 위해서이다. 혼자 수영하는 사
람들이 주로 많이 착용하는 것
같다. 우리 부부도 서로 번갈아
가며 사용할 목적으로 shokz를
구매했다. 혼자서 자유수영을
하더라도 노래를 들으면서 하기
때문에 덜 지루한 기분은 있다.

　단점이라고 하면, mp3를 구매해서 직접 기기에 저장해야
한다는 점(요즘 시대에 뒤처지는 느낌은 있다)과 막상 물속에서
는 저장된 노래만 계속 듣게 되기 때문에 생각보다 노래에는
별로 집중이 되지 않는다는 점이다(개인 별로 차이는 있을 수
있다). 그리고 초보자의 경우에는 노래를 듣다 보면 정작 신경
을 써야 할 수영 동작에는 신경을 쓰지 못하고 노래만 듣고
있는 경우도 있을 수 있다. 그래도 요즘 핫한 수영 용품 중
하나이니 구매에 관심이 있으신 분들은 참고해 보시기 바란
다.

☑ 다양한 수영복 브랜드의 세일기간을 노리자

☞ 초보자들에게 수영복 하면 '아레나 또는 레노마' 처럼 쉽게
　떠오르는 브랜드가 있을 것이다. 레노마는 상대적으로 저렴한
　수영복 이미지가 떠오르는데 백화점 수영복 코너에 갔을 때
　소위 말하는 '가판대'에서 많이 접했던 것 같다. 실제 가격도
　저렴한 편이다. 아레나도 많이 알고 있는 수영복 브랜드인데

생각 외로 저렴한 브랜드가 아니다. 거기다 프랑스 브랜드라
는 점을 알게 되면 '의외네'라는 생각을 하게 된다. 쉽게 생각
나는 몇 몇 브랜드 이외에도 수영복의 브랜드 세계관은 정말
다양하다. 각 브랜드 마다 디자인, 기능성, 가격대 등이 다양
한데 인터넷 수영 카페 등에서 자주 언급되는 수영복 브랜드
들을 살펴보자면 아래와 같은 브랜드들이 있다.

○ 후그(HOOG)

○ 센티(SENTI)

○ 배럴(BARREL)

○ 풀타임(POOL TIME)

○ 나이키(NIKE)

○ 졸린(JOLYN)

○ 스피도(SPEEDO)

○ 르망고(LEMANGO)

○ 펑키타(FUNKITA)

○ 제이커스(JKUSS)

○ 두다(DUDA) ☞ 수모전문 브랜드

　　* 잘 늘어나는 신축성 있는 수모와 특이한 그래픽 디자인

이외에 더 많은 브랜드들이 있을 수도 있는데 수영 초보자들에게
는 처음 보는 브랜드들도 많을 것이다. 이런 브랜드들은 정해진 세

일기간이 있는데 만약 수영복을 구매하고자 하는 분들이 있다면 이 세일기간을 노린다면 가성비 있게 구매가 가능하다. 단, 주의할 것은 수영복 브랜드의 세일기간은 미리 일정을 공지하고 시작되는 경우가 많은데 수강신청 하듯이 준비를 하고 있어야 하는 경우가 제법 있다. 초보자들은 '왜?' 라는 의문을 가질 수 있는데 그 만큼 수영인구가 많고 수영인들의 수영복에 대한 관심이 많다는 의미이다. 늦게 접속하면 저렴한 가격에 예쁜 디자인은 이미 사이즈가 동나는 경우가 많을 것이다.

참고로 각 브랜드 마다 수영복 사이즈 조견표가 다른 경우가 많으므로(예를 들어, 같은 L사이즈라도 브랜드마다 차이가 있음) 여러 후기를 잘 참고해서 고를 필요가 있다. 남성 수영복은 그나마 단순한데 여성 수영복 같은 경우에는 고려할 요소(토르소[8]) 사이즈, 수영복 fit 가이드, 수영복 Back 가이드[9]) 등)가 더 많은 것 같다.

---

8) (참고) 원래는 인체의 몸통이라는 뜻. 보통 수영복 사이즈에서 토르소는 어깨라인부터 몸통의 세로길이라고 생각하면 된다.
9) (아내 첨언) 초보자들의 경우, 수영복 back 가이드에 있어서 브이백을 추천한다. 이유는 수영 시 움직임도 편하고, 다른 back 가이드의 경우에 모양이 예쁘다고 선택할 수도 있지만 실착용 시 끈이 꼬이는 등의 불편함도 감수해야 할 수 있다. fit 가이드와 관련해서도 초보자들은 미들컷이나 로우컷을 추천한다. 하이컷이나 세미하이컷은 조금 민망한(?) 상황이 발생할 수도 있다.

「자」

40대여, 수영으로 **자**신감을

8/ 가족과 함께 해서 더 재미있는 수영

°

9/ 40대여, 왜 수영인가!

8/ 가족과 함께 해서 더 재미있는 수영

#1 아내, 딸과 함께 이야기하는 공통 주제

수영은 22년 6월경에 아빠가 먼저 시작했지만 약 두세 달 뒤부터 아내와 첫째 딸도 수영을 시작했다. 집 가까운 곳에 수영장이 생긴 덕분이기도 하지만 사실 우리 부부에게 수영은 그 전부터 한 번 도전해 보고 싶었던 운동이기도 했다. 늦둥이 둘째 때문에 부부가 같이 수영을 할 수는 없었다. 그래서 아침 6시 첫 수업을 아내가 가고 이후 내가 회사 퇴근 후 8시 반 마지막 수영 수업에 가는 식으로 최근 까지도 계속 수영을 다니고 있다. 첫째 딸이 처음 수영을 시작했을 때는 초등학교 5학년 무렵이었으니 학교 마치고 수영장 셔틀버스를 타고 오후 4시 어린이 수업에 가서 수영을 배우기 시작했다.

가족 3명이 함께 수영을 하고 있으니 저녁식사 시간과 주말에 우리 가족의 대화는 자연스레 수영에 관련 내용이 주를 이루었다. 오늘은 무엇을 배웠고, 하다 보니 뭐가 잘 안되고, 그리고 유튜브를 봤는데 어떤 영법은 이렇게 해야 된다는 등 수영 이야기를 하면 끝없이 대화가 이어졌다. 아내는 수영장에 함께 다니는 회원들과 친해져서 SNS 채팅을 주고받기도 했고, 첫째 딸은 수영장에서 만난 언니·동생들과 새로운 친구를 사귀어서 수영강습에서 수영을 배우는 것 이외에 그 시간 동안 친구들과 물놀이 하는 것도 상당히 재미가 있었던 것 같다(어린이 수영강습 시간에는 어른들처럼 영법 배우고 체력을 기르는 것 이외에 놀이를 통해 수영을 배우는 시간도 있는 것 같았다). 그리고 수영을 마치고 한창 출출할 때 친구들과 수영장 편의점에서 간식을 사 먹고 돌아오는 셔틀 버스에서 재잘거리는 재미는 덤이다.

우리 집 화장실에는 어느새 수영용품이 자리를 차지하기 시작했다. 다양한 브랜드에서 다양한 수영 관련 용품들이 있다 보니 수영용품 쇼핑 시간만큼이나 집안에 수영용품도 점점 늘어났다. 형형색색의 다양한 수영복이 수영복 전용 옷걸이에 걸려 있고, 수영복 개수만큼 수모 개수도 더 늘어났다. 각자 발사이즈에 맞는 오리발도 있다. 심지어 오리발도 숏핀, 롱핀으로 종류별로 있다. 아침·낮·저녁으로 세 명이 수영장을 다니니 그 만큼 수건 빨래도 늘어났다. 다른 여느 취미들과 마찬가지도 수영도 용품에 대한 욕심이 나는 것은 어쩔 수 없는 것 같다.

주말에 함께 자유수영을 가면 서로의 자세를 봐주기도 하고 누가 더 멀리, 더 오래, 그리고 더 빠르게 할 수 있는지 영법 대결을 하기도 했다. 첫째 딸에게는 조금 미안하지만 때로는 새벽 시간에 첫째에게 둘째를 맡겨두고 부부만 자유수영을 가서 함께 뺑뺑이를 돌기도 했다. 우리 아내는 접·배·평·자 모든 영법을 잘 한다고 이야기 하지는 못 하겠는데(물론 내가 보기에 말이다), 한 가지 잘 하는 것이 뺑뺑이였다. 비슷한 시기에 수영을 시작했는데 나는 여전히 뺑뺑이를 못 돌고 자유형 3~4바퀴만 돌면 일어서고 싶은 욕구를 주체하지 못해 수영을 멈추고 있을 때 아내는 자유형 뺑뺑이를 정말 잘 했다. 한 번은 약 50분간 쉬지 않고 50미터 레인에서 뺑뺑이를 돈 적도 있다. 그 날 시작은 나도 같이 했지만 역시나 2~3바퀴 돌고 멈춰 섰는데 아내는 약 50분간 뺑뺑이를 돌았고 그나마 멈춘 것이 수모가 벗겨지려는 것 때문이었다. 수영을 오래 하는 것과 속도는 상관이 없었던 관계로 그 날 아내 뒤로 줄줄이 사람들을 달고 다녔다(약간의 민폐?).

#2 봄, 여름, 가을, 겨울에 갈 곳이 생겼다

수영을 하면서 주말에 가족들이 함께 갈 곳이 생겼다는 것도 재미이자 장점인 것 같다. 아침에 일어나면 어차피 씻어야 하는 관계로 자유수영도 할 겸 가족이 다 같이 수영장을 가니 2~3시간은 시간이 그냥 지나간다. 그냥 씻으러 간다면 재미가 덜 하겠지만 수영장에서 자유수영을 하는 것 자체도 재미가 있으니 수영장 가는 시간은 즐겁기만 하다. 동네 수영장뿐만 아니라도 인근 다른 지역의 수영장도 찾아다니기 때문에 자연스레 운동도 하고 수영 후 출출한

배도 채워야 하니 찾아간 수영장 인근에서 맛집 투어도 하게 된다.

이제 수영을 시작한 지 약 2년 정도 되니 4계절을 다 경험해 본 셈이다. 가족 중 누군가 아플 때에는 수영장을 못 갔지만 그 외에는 주말마다 거의 빼놓지 않고 수영장을 다녔다. 봄에는 수영을 하면서 수영장 바깥에 보이는 벚꽃이 매력적이었다. 미세먼지가 많아도 수영장 안은 미세먼지에 상관없이 수영을 할 수 있다는 것도 좋았다. 여름이면 날씨가 너무 더워서 가족 모두가 갈 곳을 찾지 못해 집안 에어컨 밑에서만 있었는데 수영장을 가니 무더위를 피할 수 있어 좋았다. 물론 여름에 수영장은 더 붐빈다.

가을에는 쌀쌀해지는 날씨만큼이나 수영장의 회원도 줄어들기 시작해서 수영장에 여유가 느껴진다. 우리 가족은 캠핑과 수영을 연계하면서 가을에는 캠핑장 인근의 수영장을 찾아가서 시원하게 수영하고 깔끔한 몸으로 캠핑장에 돌아와서 바베큐를 만들어 먹으니 이것도 재미가 있다. 겨울에는 날씨가 추워 아무도 수영장에 안 갈 것 같지만 흔히 말하는 '고인물(수영장에 오래 다닌 회원들을 부르는 말)'처럼 수영장을 찾는 사람들이 있다. 우리 가족도 그런 사람이 되어 가고 있었다. 그리고 수영장은 일 년 내내 수온 관리를 하기 때문에 겨울이라고 해서 그렇게 춥지는 않다. 수영장은 운동하러 가는 곳인 만큼 발차기 한 두 바퀴면 수영장 물의 차가운 기운은 금세 사라진다. 겨울에 수영을 마치고 밖에 나와서 차가운 공기를 마셨을 때만큼 개운한 기분을 주는 것이 또 있을까?

가족들과 함께 어떤 때는 해수(海水)풀을 찾아 멀리 떠나기도 했고, 또 어떤 때는 바다가 보이는 수영장이 있다고 해서 여행을 가기도 했다. 친척들을 만나러 가는 길이면 그 동네 인근에는 수영장이 어디 있는지 찾아봤고, 수영장이 좋다는 리조트를 찾아 떠나기도 했다. 수영과 함께 계절별로 떠나는 여행은 어느새 우리 가족에게 새로운 재밋거리가 되어 있었다.

#3 아빠보다 딸이 더 빠르다!

첫째 딸 이야기를 조금 하고 싶다. 초등학교 5학년부터 수영을 시작했으니 6학년 졸업 때까지 2년간 수영을 했다. 우리 딸은 그 전까지는 수영의 '수'자도 몰랐기 때문에 물놀이를 가면 튜브나 구명조끼를 끼고 물 위에 둥둥 떠 있거나 물속에서 자전거 발차기를 하는 것이 전부였다. 그랬던 첫째 딸은 수영을 배우기 시작하자 실력이 일취월장하기 시작했다. 하루는 수영장 있는 먼 지역으로 여행을 가서 다 같이 수영장을 갔는데 자유형 팔꺾기를 하고 있는 것이 아니겠는가? 또 어떤 날은 같이 자유수영을 갔는데 플립턴을 돌고 있는 것이 아닌가?

처음에는 함께 자유수영을 가면 아빠를 따라오지 못 했다. 그런데 어느 순간부터 수영 대결을 하면 아빠가 딸을 도저히 따라갈 수가 없었다. 자유형 발차기만 해도 어찌나 빠르게 앞으로 나아가는지 아빠는 죽어라 발을 차는데도 도대체 그 거리가 좁혀지지 않았으니 말이다. 그래서 언제부터인가 우리 부부는 딸을 '날치 김선생'

이라고 부른다. 접영을 하는데 물 밖으로 솟아오르는 모습이 마치 날치 같아서 아빠가 붙인 별명이다. 그렇게 우리 딸은 수영과 함께 초등학교 6학년을 마무리를 했다. 초등학교를 마칠 때까지 남들 다 다니는 흔하디흔한 학원은 한 번도 안 갔지만 엄마아빠 때문에 시작한 수영은 재미를 붙여서 정말 열심히 다녔던 것 같다.

그렇게 중학교에 입학을 하고 부터는 더 이상 어린이 강습반에서 수강을 할 수가 없었다. 그래서 한 동안 성인반에서 강습을 계속 했는데 시작은 중급반이었다. 어느 날 회사를 조퇴하고 첫째 딸을 데리러 수영장에 갔다. 관람 위치에서 강습하는 모습을 보고 있자니 성인반의 1번이 우리 딸이었다. 아줌마 아저씨들 앞에서 제일 먼저 치고 나가는 모습을 보니 수영을 참 잘 가르쳤다는 생각이 들기도 했다.

여행을 간다면 남편보다는 아내와 아이들이 호텔 또는 리조트에 대해 가지는 기대가 더 클 것 같다. 아무래도 남성들은 이런 부분에 대해서는 상대적으로 둔감하니까 말이다. 호텔이나 리조트 하면 또 수영장 아니겠는가! 수영을 배우지 않았다면 이렇게 시설 좋은 장소에 있는 수영장을 가더라도 예쁜 수영복 입고 사진이나 동영상 몇 번 찍고 나면 더 이상 할 것이 없다. 아이들이라면 그나마 튜브 타고 물놀이라도 하겠지만 어른들이라면 튜브타고 하는 물놀이는 10~20분이면 금세 지루해질 것이고 나머지 시간 동안 맥주 같은 주류와 함께 수영장 벤치에 앉아 쉬는 것이 보통일 것 같다.

이런 것을 좋아하는 사람에게는 나름 의미 있는 시간이겠지만 수영을 배우고 나면 이야기는 180도 달라진다. 멋진 장소에 있는 멋진 수영장에서 제대로 된 수영을 한다는 것, 이 자체가 수영을 할 줄 아는 사람들에게는 엄청나게 설레는 일이다. 이 호텔(또는 리조트)의 수영장은 길이가 얼마나 될까? 깊이는 어떻게 될까? 턴까지 해서 왕복은 가능할까? 그리고 수영복과 수모는 무엇을 입는 것이 더 멋지고 예뻐 보일까에 대한 고민까지 생각해야 할 것들이 한두 가지가 아니다.

그리고 호텔이나 리조트에 있는 수영장은 보통 영상 촬영이 가능한 곳이 많기 때문에(그래서 여러분들이 이제까지 사진도 찍고 동영상을 찍어 왔다는 점을 기억해 보시기 바란다) 지금 나의 수영자세를 촬영하는 것이 가능하다는 점도 장점이다. 가족들과 함께 멋진 장소의 수영장에서 다 함께 진짜 수영을 할 수 있다는 것! 수영장에서 그냥 물놀이 하며 시간을 보내는 것이 아니라 제대로 할 것이 있다는 그 자체가 상당히 멋진 일이 된다.

✔수·태·기

feat. 수영 권태기

사실 요즘 이 책을 쓰고 있는 시점(24년 2월 즈음)에 나도 수태기 (수영 권태기)가 온 것 같다. 앞에서 평영에 대한 고민거리들을 줄줄 이 늘어놓았지만 여전히 평영은 풀리지 않는 숙제로 남아 있다. 이 외에도 나름 잘 되고 있다고 생각했던 영법들도 요즘 들어서 이유 가 무엇인지 잘 모르겠지만 제대로 안 되는 것 같다는 생각이 많이 든다. 정말 잘 안 되는 것인지 혼자만의 심리적인 착각인지는 정확 히 알 수 없지만 최근 들어 '수태기가 온 것이 아닌가'를 의심할 수 있는 한 가지 확실한 증상은 '수영장 가는 것이 그렇게 재미있 지는 않다'라는 생각이 계속 들 때이다.

아무리 좋은 것도 지나치면 좋지 않을 수 있다. 수영도 우리가 선수를 할 것은 아니지 않은가?(생활체육인을 꿈꾸는 사람들도 있겠지 만 대부분은 취미생활 수준이다) 충분히 마음의 여유를 가지고 즐기면 서 할 필요가 있다. 앞에서 이야기 했지만 고수 회원도 과거에는 평영 발차기 제대로 하는데 몇 년이 걸렸다고 했다. 원래 시간이 필요한 것을 급하게 한다고 되겠는가?

그리고 아이들의 경우에는 '친구 따라 강남간다'고 운동 자체의 목적보다는 수영장에서 친구와 즐겁게 놀다 오는데 의의를 두는 경우도 많다. 그래서 그런지 요즘 우리 첫째 딸도 중학교 입학 시기에 수영장 친구들과 헤어져서 성인반으로 옮기고 난 이후에 재미가 없다는 말을 자주 한다. 이제 수력 2년차 접어드는 주제에 수태기를 어떻게 극복해야 할지 정확한 방법까지는 잘 모르겠다. 단지 조금 더 시간을 가져보려고 한다. 그리고 딸의 수영강습도 너무 강제로 보내기 보다는 중학교에서 받는 공부 스트레스를 푸는 차원에서 즐겁게 놀 수 있는데 주안점을 두고 이 시기를 보내 볼 생각이다.

"가족끼리는 운전도 가르쳐주는 것이 아니다"

라는 말을 많이 들어보았을 것이다. 수영을 통해 가족 간에 공통의 대화거리가 생긴다는 것은 상당히 좋은 일임에는 분명하다. 그러나 위의 말처럼 한 편으로 주의해야 하는 것도 이 부분이다. 대화는 서로가 즐거워야 하고 상호간에 주고받는 과정이다. 수영을 이야기 하면서 상대방을 지적하고 계속 가르치려 들다 보면 의도치 않는 불상사가 발생할 수 있으니 그 수위는 가족 내에서 각자가 잘 조절 할 필요가 있다.

때로는 머릿속으로는 이해했지만 본인의 의지와 달리 몸이 따라 주지 않는 경우도 많기 때문에 천천히 시간을 가지고 함께, 그리고 즐겁게 대화로써 풀어가는 여유를 가지는 것이 좋다. 그러나 문제 는 이것을 알면서도 각자의 스타일대로 결국은 자기 뜻대로 이야기 를 하고 강요한다는 것일 것이다. 언젠가 라디오에서 '부부 간에는 상대방의 단점을 내가 보완해 준다고 생각할 것이 아니라 내가 얼 마나 상대방의 단점을 버텨낼 수 있을지를 생각하는 것이 현명하다'라는 내용을 들은 기억이 난다. 수영에 있어서도 마찬가지이다. 상대방을 조금 더 배려해서 지켜봐주고 함께 해 주는 것, 이것이 부부 간에 그리고 가족이 함께 하나의 운동을 계속해 나갈 수 있는 힘이 아닐까 한다.

9/ 40대여, 왜 수영인가!

#1 수영의 장단점

드디어 접·배·평·자의 마지막까지 왔다. 시작은 수영에 관심 있는 사람들에게 우리 가족의 경험을 공유해 보자는 가벼운 취지였는데 역시나 글로 정리한다는 것이 쉬운 일은 아닌 것 같다. 거기다 수영이라는 운동이 전문 분야도 아닌데 수영을 배워가는 과정의 경험들을 나름의 기억에 의존해서 정리하다 보니 더 어렵게 느껴졌던 것 같다. 그래도 접·배·평·자의 마지막은 우리 가족이 왜 수영에 빠질 수밖에 없는지에 대해 정리해 보고자 한다.

한창 수영에 재미가 들면서 했던 생각 중 하나는

"몇 년 전 코로나 시절에 수영인들은 어땠을까?"

였다. 이렇게 재밌는 운동을 제대로 하지 못 하고 한 동안 수영장 문을 닫아야 했으니 얼마나 답답했을까? 그래도 우리 가족은 코로 나가 어느 정도 정리되어 가는 시점에 수영을 시작했기 때문에 그나마 다행으로 여겨진다. 이렇게 수영장을 가고 싶게 만드는 것은 수영이 단순히 운동으로써의 재미를 넘어서 실제로 여러 가지 장점이 있는 운동이기 때문일 것이다. 우리 가족이 느낀 몇 가지 장점들을 정리해 보자면,

☑ 대한민국 곳곳에 수영장이 있기 때문에 수영은 어디서든지 할 수 있는 운동이다.

☑ 날씨와 계절에 상관없이 할 수 있다. 미세먼지가 있든, 비가 오든, 눈이 오든, 바람이 불든, 실내에서 하는 운동이니 언제든지 가능하다.

☑ 수영을 하는데 별도의 장비가 필요 없다는 것도 장점이다. 오리발이나 스노클 같은 것이 필요할 때도 있지만 그렇게 큰 부피는 아니다.

☑ 단순히 근력운동만 되는 것이 아니라, 유산소 운동을 함께 병행한다는 것도 아주 큰 장점이다.

☑ 수영장에 할머니, 할아버지, 어린 아이들이 많다는 점은 나이에 상관없이 평생 할 수 있는 운동이라는 것을 보여주는 증거이다.

☑ 수영을 배워가는 과정에는 각 영법의 단계마다 조금씩 넘어서야 하는 디테일들이 있다. 그리고 이 디테일들은

수영에 빠져들게 만드는 매력 포인트가 되기도 한다.

☑ 최근에는 유튜브 덕분에 수영을 배우기가 더 좋아졌다.

☑ 수영장은 보통 시나 군에서 운영을 하는 관계로 다른 운동 대비 비용이 저렴하다는 점도 장점이다.

☑ 매일 최소 두 번 이상 몸을 깨끗하게 씻을 수도 있다 는 점도 장점이다.

☑ 어쨌든 최소한 물 위에 떠있는 방법이라도 배우니 생 존에 도움이 된다.

이런 장점 말고 단점은 없을까? 모든 일이 그렇지만 장점이 있 으면 단점도 있다. 사람들이 수영을 접하기 꺼려하는 가장 큰 단점 은 아마 편견이 아닐까 한다. 특히, 수영복을 입어야 한다는 점이 상당히 큰 제약점으로 다가올 것 같다. 그러나 이 부분은 앞에서도 이야기했지만 편견이다. 수영장에 가면 수영복을 입지 않는 것이 더 어색하니까 말이다.

막상 수영을 시작하더라도 수영을 지속하지 못 하게 만드는 요 인 중에 하나는 '실패경험'인 것 같다. 즉, 수영의 각 영법 단계마 다 넘어서야 하는 디테일들이 있지만 반대로 이 단계를 넘어서지 못할 때는 실패경험을 하게 된다. 수영도 운동이다 보니 모두가 다 잘할 수 있는 것은 아니다. 당연히 영법 중에는 잘 안 되는 것이 있을 수도 있고 어떤 사람은 물에 뜨는 것부터 힘들어 할 수도 있 다. 또 어떤 사람은 자유형 호흡부터 막힐 수도 있고 강습도중 의

도치 않게 물을 너무 많이 마시는 것에 대해 힘듦을 호소할 수도 있다. 결국 이런 실패경험이 수영을 시작했다가 한두 달 만에 그만두게 만드는 요인이 될 수 있다. 그래서 초급반은 항상 북적이지만 수준이 높은 강습반으로 갈수록 사람이 줄어드는 것이 아닐까 한다.

#2 삶이 바뀌는 경험

새로운 것을 배운다는 것은 참 즐거운 일이다. 특히나 늘 똑같은 삶이 반복되고 있는 40대 이후의 아저씨, 아줌마들에게는 더욱 그럴 것이다. 이 나이에는 자녀들도 한창 중, 고등학교에 다니는 시기라 사춘기에, 입시준비에 가족 간의 대화가 소홀해 질 수 있는 시기이다. 10년 이상 함께 살아온 배우자와의 대화 역시 젊은 시절의 사랑이 넘치는 대화보다는 10년을 같이 살아 온 친구 같은 대화가 더 많을 것 같다. 이런 생활 속에서 수영처럼 새로운 어떤 것이 내 삶 속에 들어오는 경험은 분명 삶의 변화를 유발한다. 그리고 이것이 가족 모두가 함께 할 수 있는 것이라면 그 변화의 크기는 더 크게 느껴질 수 있다.

수영을 시작하고 나서 10년 넘게 변화가 없던 몸무게가 5kg이나 줄어들었다. 그래서 보는 사람마다 살이 빠졌다며 예전과 조금 달라졌다는 이야기를 많이 한다. 사실 나는 평소와 똑같이 회식도 많이 하고 주말에는 가족과 동네 맛집에서 배가 부르게 먹었는데도 이렇게 살이 빠졌다니 내심 기분 좋은 이야기이다. 허리띠가 남아 돌고 스스로 거울을 봐도 확실히 배가 들어갔다.

그리고 자유수영을 갔을 때 혼자 물속에서 조용히 물살 가르는 소리가 귓속에 들려오면 아무 생각없이 수영에만 집중하는 시간을 가질 수 있다. 일상의 각종 스트레스에서 벗어나 온전히 나의 몸동작과 물살 가르는 소리에만 집중할 수 있다는 점은 마치 명상을 하는듯한 시간처럼 느껴진다. 그래서 이런 느낌을 좋아하는 어떤 사람은 잠영10)을 좋아한다는 이야기도 들은 것 같다.

하루를 마무리 하고 아내와 여러 이야기들을 하지만 점점 재미있는 이야깃거리가 줄어가던 차에 수영은 부부 사이에 새로운 공통관심사를 만들어냈다. 오늘 수영강습에서 강사가 무엇을 시켰는데 이게 왜 잘 안되는지, 나의 자세에서는 무엇이 문제인지, 그리고 오늘 누구는 어떤 수영복을 입고 왔는데 이걸 우리도 사면 어떨까, 심지어 다음 여행은 어떤 수영장이 있는 곳으로 가볼까 등등 무궁무진한 새로운 이야기들이 둘 사이에 시작되고 있었다.

큰 애는 초등학교 5~6학년 2년간 매일 수영을 다녔고, 지금 중학생이 되어서도 가고 있다. 하루는 아빠가

"친구들이 학원은 안 가도 수영을 할 줄 아는 것을 보고
많이 놀라지 않냐?"

---

10) 수영 영법 중 하나인 잠수영법. 제목 그대로 잠수해서 물속을 나아가는 영법이며 자유형 발차기, 평영발차기, 접영발차기 등을 한다.

고 물어봤더니

"아빠! 여기서 포인트는 수영이 아니라 나만 학원 안 가는
것에 친구들이 놀란다는 부분이야!!!"

라고 응수를 한다. 그렇다. 우리 딸은 학원을 안 다니는 대신 수영
장을 열심히 보냈다. 여자 아이라서 그런지 팔, 다리를 예쁘고 가늘
게 관리하는데 수영만큼 좋은 것이 없는 것 같다. 물론 키도 조금
더 크면 좋겠지만 말이다. 학교 마치고 다시 학원에 가서 공부에
시달리는 것보다 수영장에서 수영을 하며 친구들과 재잘거리며 즐
거운 시간을 보내고 공부는 내일 학교에서 열심히 하는 것이 더 의
미 있는 것 같다.

늦둥이 둘째는 기저귀를 떼면서 부터 주말마다 수영장에 데리고
다녔는데 이제 만 4살짜리가 요즘은 신나게 잠수를 하고 있다. 우
리가 다니는 수영장의 주말 자유수영은 입장 후 2시간 동안 할 수
있는데 이 시간을 꽉 채울 정도로 신나게 유아 풀장을 돌아다닌다.
잠수를 하며 레인을 넘나들고, 레인 끝까지 아빠가 끄는 킥판에 매
달리기도 하고, 킥판 위에 올라가 배를 타기도 한다. 그 사이에 엄
마 아빠는 교대로 자유수영을 즐긴다.

이렇게 2시간 보내고 나면 집에 돌아오는 길에 둘째는 차 안에서
'기절하듯' 잠이 든다. 운동도 하고 늦둥이 낮잠도 쉽게 재우고, 그
사이에 엄마, 아빠, 언니는 조용히 쉬는 시간을 가질 수 있으니 이

것 또한 일석이조이다. 둘째도 수영강습을 보낼 생각인데 아무래도 시기는 초등학교 고학년 이후가 좋을 것 같다. 저학년까지는 안전상의 문제도 있고(강사님들이 잘 봐주시겠지만) 아무래도 학습의 속도가 고학년 일 때 훨씬 효율적이기 때문이다.

#3 오늘도 수영장으로

    집안에는 수영용품과 수영복이 자리를 차지하고 있고, 컴퓨터와 스마트폰의 즐겨찾기에는 수영장 홈페이지와 수강신청 사이트가 등록되었다. 심지어 평소 즐겨 입는 일상복까지 수영복 브랜드에서 나오는 옷들로 채워졌다. 이렇게 우리 가족은 요즘 수영과 함께 살고 있다. '음~ 파~'를 처음 배우며 '자유형을 우리가 할 수 있을까'를 고민하던 시절이 이제는 즐거운 추억거리가 되었다. 그리고 이 책을 쓰다 보니 지난 2년 동안 우리 가족에게 수영과 함께 많은 일들이 있었다는 것을 새삼 깨닫게 된다. 심지어 우리 아내는 '수영이 마치 진흙탕 같다'고 이야기 한다. 시작하면 빠져나오기 힘든 것이 바로 수영이라는 것이다. 정말 40대 아저씨와 가족의 삶이 바뀌었다.

    얼마 전 겨울이 지나고 봄이 올 때 우리 가족은 줄줄이 감기를 달고 살았다. 덕분에 늦둥이 둘째는 한 달 동안 수영장을 가지 못했고, 나와 아내도 며칠 동안 수영장을 쉬어야 했다. 한창 힘이 넘치는 둘째를 데리고 주말마다 집에서 아웅다웅 해야 했으니 주말이면 집이 육아전쟁터가 되었다. 매일 가던 수영을 며칠 쉬니 온 몸이 찌뿌둥하고 강습반에서 나만 못 따라가는 것이 아닌가 걱정이 들기 시작했다. 무엇보다 수영장 물에 몸을 담그지 못하니 알 수 없는 갑갑함이 있었다. 그렇게 길고 길었던 감기가 나아갈 때 즈음 우리 가족은 다시 수영가방을 들고, 수영장으로 향했다.

"뭐 입고 가꼬?"

"오리발은 우쨌노?"

"안티포그액 발랐나?"

"애기 수영복 챙겼제?"

"씻고 유아풀에서 만나. 나는 먼저 한 바퀴 돌고 갈게"

"오빠야~ 5바퀴만 돌고 온나!"

"혼자 너무 오래 돌지 말고! 알았제~!!!!"

그렇게 우리 가족은 오늘도 다 같이 수영장으로

<40대 아저씨와 우리 가족은 이런 분들에게 수영을 추천합니다>

No	추천 대상	이유는?
1	일상이 지루하신 분	이 책에서 설명한 삶의 변화를 한 번 느껴보세요!
2	새로운 운동을 해보고 싶은 분	'물'이라는 환경은 완전 새로운 운동 환경을 만들어 줄 수 있기 때문!
3	먼지 날리고, 비오고, 바람 불고, 눈 내리는 날에도 할 수 있는 운동을 찾는 분	실내 수영장은 사시사철 언제든 갈 수 있는 곳!
4	가족들과 다 같이 할 수 있는 운동을 고민 중인 분	모든 연령대가 한 군데 있는 곳, 바로 수영장!
5	저렴한 비용으로 할 수 있는 운동을 찾는 분	시와 군에서 운영하는 시설이니 이보다 저렴한 장소는 잘 없을 듯!

No	추천 대상	이유는?
6	어린 아이들과 주말에 무엇을 할지 고민하시는 분	이제 더 이상 갈 곳이 없다면 수영장으로!
7	청소년 아이들에게 어떤 운동을 시키는 것이 좋을지 고민하는 분	한 살이라도 어릴 때 시작하면 더 빨리 배우고 더 재미있어 한답니다!
8	유산소 운동과 근력운동을 함께 해 보고 싶은 분	수영의 운동량을 절대 무시하지 마세요. 아마 깜짝 놀라게 될 것입니다!
9	비상상황에 물에서 생존하고 싶은 분	최소한 수영은 배워두셔야죠~!
10	여행이나 출장 가서도 할 수 있는 운동을 찾는 분	운동화 들고 가는 것보다 수영준비물이 더 부피가 적을 걸요?